i y i k i k i t a p l a

ÇÖL AKREPLERİ

● TİMAŞ YAYINLARI ●
İSTANBUL 2017

ÇÖL AKREPLERİ

Yayın Yönetmeni	Savaş Özdemir
Editör	Merve Okçu
Çeviri	Mustafa Emrah Temel
Kapak Resmi	Emir Ökke
İç Tasarım	Tamer Turp

1. Baskı	Ekim 2017
Uluslararası Seri No	ISBN: 978-605-08-2638-8

9 786050 826388

TİMAŞ YAYINLARI

Adres	Cağaloğlu, Alemdar Mah. Alay Köşkü Cd. No:5 Fatih/İstanbul
Telefon	(0212) 511 24 24
Posta	P.K. 50 Sirkeci/İstanbul
E-posta	bilgi@genctimas.com

Baskı ve Cilt	Sistem Matbaacılık
Sertifika No	16086
Adres	Yılanlı Ayazma Sok. No:8 Davutpaşa-Topkapı/İstanbul
Tel	(0212) 482 11 01

TİMAŞ YAYINLARI / 4309

Mission Survival / 2

KÜLTÜR BAKANLIĞI YAYINCILIK SERTİFİKA NO: 12364

MISSION : SURVIVAL
BEAR GRYLLS
ÇÖL AKREPLERİ

BEAR GRYLLS

Bear Grylls, hayatta kalma ve macera konularında dünyanın en ünlü isimlerinden biri hâline geldi. Everest'e tırmandı; Sahra Çölü'nü aştı, Birleşik Krallık'ın etrafını jet-ski ile dolaştı. Bunların yanısıra Britanya'da tarihin en geç baş izcisi unvanına sahip oldu. Bear Grylls'in televizyon dizisi İnsan Doğaya Karşı, tahmini 1.2 milyar seyircisi ile gezegenin en çok izlenen programlarından biri oldu. Bear, Londra'da eşi Shara ve çocukları Jesse, Marmaduke ve Huckleberry ile birlikte yaşıyor.

En küçük oğlum Huckleberry'e,
En harika üç silahşörler üçlemesi tamamlanıyor.
Sana hayranım.
Sevgiler
Baban

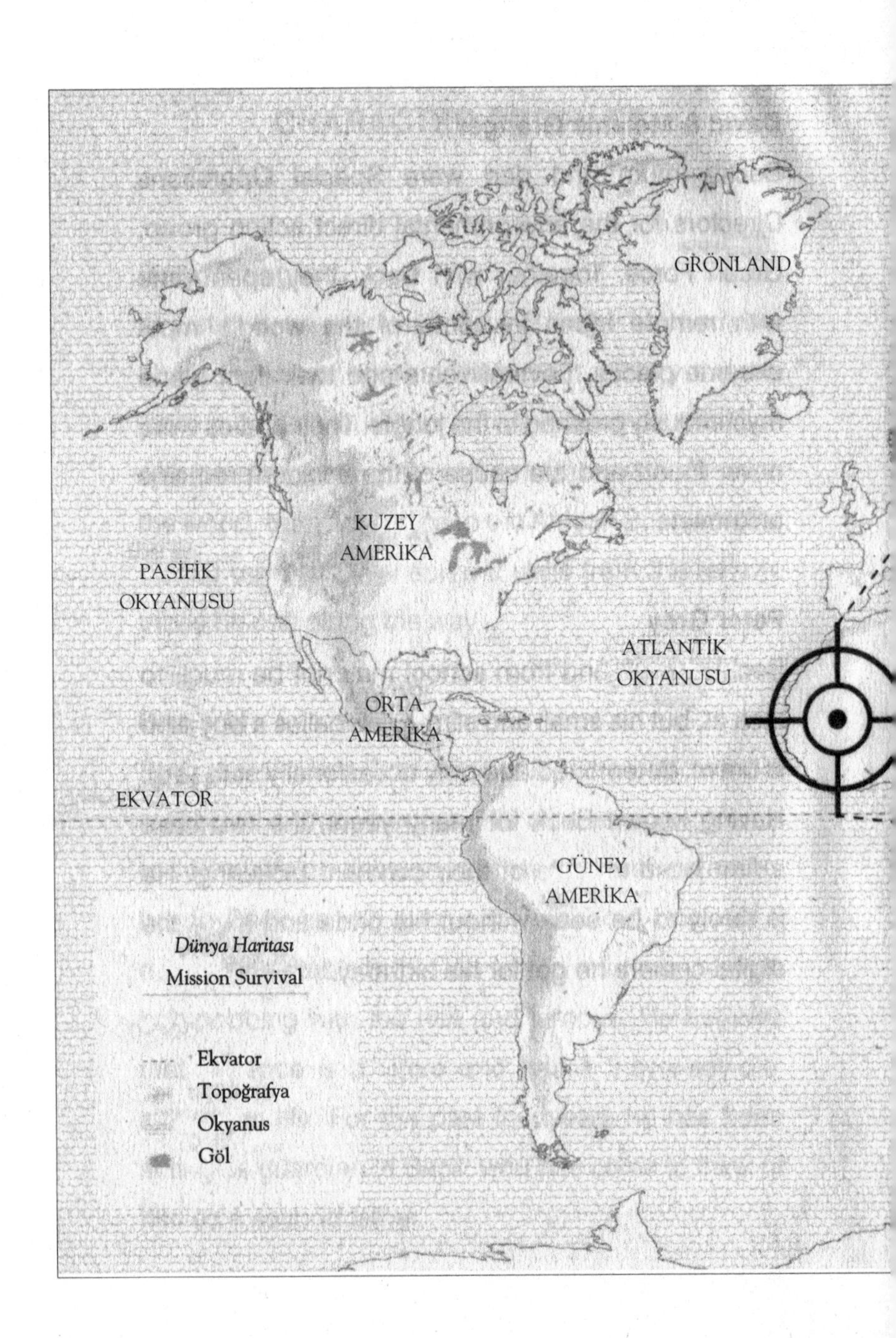
GRÖNLAND
KUZEY
AMERİKA
PASİFİK
OKYANUSU
ATLANTİK
OKYANUSU
ORTA
AMERİKA
EKVATOR
GÜNEY
AMERİKA
Dünya Haritası
Mission Survival
Ekvator
Topoğrafya
Okyanus
Göl

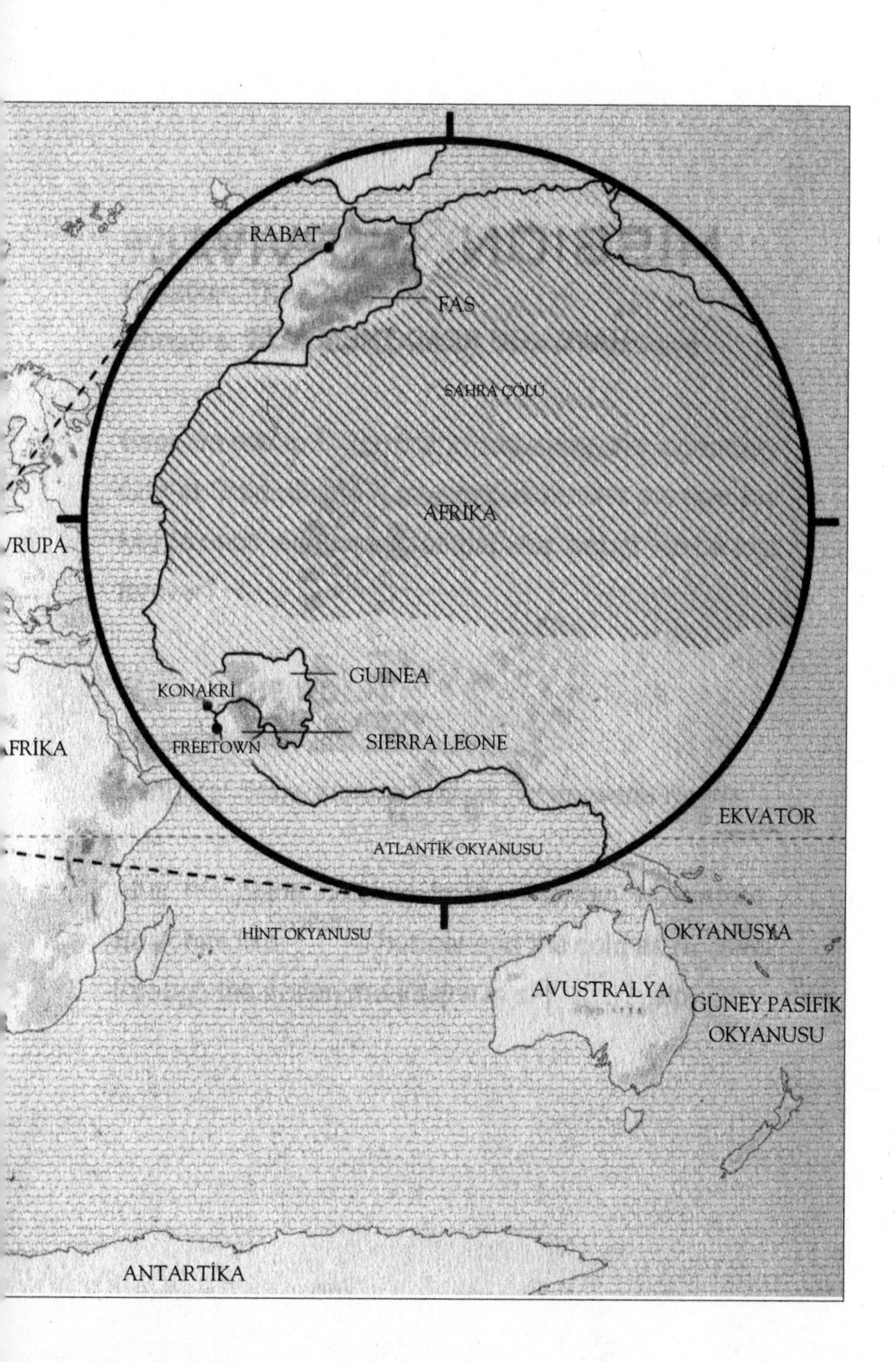
RABAT
FAS
SAHRA ÇÖLÜ
AFRİKA
VRUPA
GUINEA
KONAKRİ
FREETOWN
SIERRA LEONE
AFRİKA
EKVATOR
ATLANTİK OKYANUSU
HİNT OKYANUSU
OKYANUSYA
AVUSTRALYA
GÜNEY PASİFİK
OKYANUSU
ANTARTİKA

BÖLÜM BİR

Uçağın tekerlekleri pistin asfaltına sert ve gürültülü bir iniş yaptı. Frenler uçağı dizginlerken, Beck Granger koltuğundan ileriye doğru yalpaladı. Motorlar ters yöne doğru kükredi ve bu sırada bütün uçak titremeye başladı. Sonra birdenbire ses kesildi. Uçak, tekerleklerin dönmesiyle pistten çıktı ve Beck ancak o zaman arkasına tekrardan yaslanabildi.

Beck tutmuş olduğu nefesini sessizce bıraktı. Alaska'da geçen en son macerasından bu yana, hava yolcuklarında hâlâ olması gerekenden daha fazla tedirgin oluyordu.

Koridorun karşısında oturan Al Amca gülümsedi ve tek kaşını havaya kaldırdı. Beck'in aklından tam olarak nelerin geçtiğini biliyordu. Beck'in bu denli tedirgin olmasına sebep olan uçak kazası neredeyse kendisinin ölümüne neden olacaktı. Beck, amcasıyla göz göze geldi ve cevap olarak tek kaşını havaya kaldırdı.

Arkadaşı Peter Grey, sol tarafında, pencere kenarında oturuyordu. Uçuş sırasında parlak güneşi engellemek için pencerenin korkuluğunu indirmişlerdi.

"Hey, hadi bakalım!"

Beck onu engellenmeden önce Peter korkuluğu, yukarıya doğru çekmişti bile. Sierra Leone'nin acımasız güneş ışıkları kabinin içini aydınlattı.

"Aaah!"

Peter korkuluğu aceleyle geri indirdi ve yüzünde Beck'e doğru mahcup bir sırıtma belirdi. Yuvarlak çerçeveli gözlüklerinin arkasındaki gözleri kocaman görünüyordu. "Pekâlâ, işte geldik!"

"Evet," diye onayladı Beck.

"Biraz bekler misin?"

Peter çantasını açtı ve içinde didik didik bir şeyler aradı. Arkadaşı sahip olduğu gurur kaynağını ortaya çıkarınca Beck gözlerini devirdi. Ona doğum gününde hediye edilmiş olan, sınıfının en iyisi dijital bir kameraydı. Çok iyi fotoğraf çekmenin yanı sıra video kaydetme özelliği de vardı. Peter pencerenin korkuluğunu dikkatle, geçen seferkinden daha az yukarı çekti ve manzaraya karşı kamerasının düğmesine bastı.

"Hey, anneciğim baksana..." dedi Beck, nefes nefeseydi. "Başka bir havaalanı terminalinin fotoğrafını daha çektim ve bu da şimdiye kadar bulunduğum diğer bütün terminallerin tıpatıp aynısı!"

"Sadece beni kıskanıyorsun," dedi Peter yüksek sesle. Kamerayı kemerine tutturulmuş bir çantanın içine soktu.

Beck gülümsedi.

Sık sık birbirleriyle atışırlardı. Peter, Beck'in okuldan en eski arkadaşıydı. Peter o zamanlar kısa ve sıskaydı. Sanki aniden şiddetli bir rüzgâr çıksa, onu devirecek gibiydi. Muhtemelen tam da bu yüzden, üst sınıftaki çocuklar okulun ilk gününde onu seçmişti. Peter'ın iki katı büyüklüğündeki bir grup genç zorba, cebindeki parayı vermesi için ona sataşmışlardı. Peter'ın tam bir pısırık çıkacağından emindiler. Beklemedikleri şey ise Peter'ın sadece hayır demesiydi. Korkudan sinmedi, arkasını dönüp kaçmadı, onlarla dövüşmedi. Sadece reddetti ve reddetmeye devam etti.

Çevresini saran kalabalık onu korkutamamıştı. Herhangi bir şiddet durumunda müdahale etmeye hazır bir şekilde Peter'ın yanında duran Beck, olanları hayranlıkla izlemişti. Olan biteni anladıktan sonra her şey daha da etkileyici bir hâl aldı. Beş dakika boyunca süren göz korkutma teşebbüsünden sonra Peter'ın onlarla oynadığını fark etmişti. Onları öyle bir noktaya getirmişti ki artık para istemektense, paranın ne için lazım olduğunu anlatmaya başlamışlardı. Onu korkutmaya çalışmayı bırakmışlardı. Şu an çevrelerindeki insanlara, ne kadar aptal olduklarını gösteriyordu ama bunu da anlayamayacak kadar kalın kafalıydılar.

Giderek daha fazla çocuk, olan biteni seyretmek için çevrelerine toplanıyordu. En sonunda okulun kabadayıları, küçük beyinlerinin loş yerlerindeki ufak bir aydınlanmayla, ilkokul çocuklarının yarısının onlara güldüklerini fark ettiler. Bu olaydan sonra bir daha Peter'la uğraşmadılar.

Peter dışarıdan pek öyle gözükmese de, Beck, onun ne kadar cesur ve kararlı, bazen de öylesine inatçı olduğunu fark etmişti.

Uçak durdu ve kabin kapıları açıldı. Dışarıdaki sıcak ve nemli hava uçağın havalandırmasıyla savaşmak için saldırdı. Kırk küsur yolcu ayaklanarak çantalarını aldılar ve ekvatoral güneş ışığına doğru daldılar.

Bunlardan üçü, Beck, Peter ve Al, ya da daha çok bilinen ismiyle Profesör Sör Alan Granger, Londra'dan Sierra Leone'nin başkenti olan Freetown'a uçmuştular. Sonrasında Gine sınırının yanındaki bu kasabaya uçmak için daha küçük bir uçak kullanmışlardı. Al, Afrikalı kabile halklarıyla ilgili bir konferansa katılıyordu. Halklarını binlerce yıldır ayakta tutmaya yarayan geleneksel tarım yöntemlerini kullanıyorlardı. Batı dünyası sürdürülebilir çiftçiliğin nasıl yapıldığını unutmuştu. Konferansın amacı, bu atadan kalma yöntemlerden neler öğrenilebileceğini görmekti.

Al, elbette ki Beck'i de yanına almıştı çünkü gittiği her yere onu da götürürdü. Ailesi ölümcül bir uçak kazasında ortadan kaybolduğu zaman, Beck henüz çok küçüktü. Bu olaydan sonra Al, onu yanına alarak kendi oğluymuş gibi büyüttü.

Peter'a gelince, ailesi yakın zamanda yeni bir bebeğe daha sahip olmuştu. Yeni doğan küçük kız kardeşine "Kundakçı" lakabını takmıştı. Beck, Peter'ın bebeğin bir fotoğrafını cüzdanında tuttuğunu biliyordu. Kardeşine, muhtemelen belli ettiğinden daha düşkündü. "Kundakçı" zamanından önce doğmuştu ve hâlâ oldukça zayıftı. Bu yüzden Grey Ailesi, her seneki olağan yaz tatillerine bu sene gidemediler. Peter'ın ailesine, şimdilik bebekle birlikte seyahat etmemeleri önerilmişti. Beck de Peter'ı kendi yolculuklarına davet etmişti. Böylece Al konferans salonunda kabile liderleriyle konuşurken Peter'ın kendisine eşlik etmesinin keyfini çıkaracaktı.

Tüm bunlardan sonra üçlü, gerçek bir tatil için Fas'a seyahat etmeyi planlıyorlardı.

***

Havaalanı modern ve büyük sayılmazdı. Onları uçaktan doğruca terminale götürecek bir tünel bulunmuyordu. Aşağıya, yolcu merdivenlerinden inmek ve güneş yüzünden gözlerini kısarak asfalt boyunca ilerlemek zorunda kaldılar.

Londra'dan ayrıldıklarından beri ilk kez açık havada bulunuyorlardı. Beck, Afrika'nın havasını solumak için derin bir nefes aldı. Yüzüne doğru sıcak ve kuru bir hava esti. Rüzgâr kuzeydoğudan geliyordu. Yönü bulmak için kol saatini yere paralel tutarak saatin akrebini güneşe doğru çevirdi; akrep ve en üstteki on iki rakamının ortasından geçen açıortay güneyi gösteriyor olmalıydı. Hâlâ kuzey yarımkürede olduklarını hatırladı; yön bulma tekniği düzgün çalışacaktı. Beck esen rüzgârın yaklaşık yüz elli kilometre uzaklarında bulunan Sahra Çölü'nden geldiğini fark etti.

Büyük Sahra Çölü, Afrika kıtasının dörtte birini kaplıyordu. Uçsuz bucaksız bir çöldü. Neredeyse ABD'nin tamamı büyüklüğünde bir alandı.

Beck'in soluduğu havanın bir kısmı gezegenin en kurak topraklarından geliyordu. Sıcak hava dalgası, Sierra Leone'nin sınır komşusu ülkelerinin bozkırlarına vardığında soğumaya başlıyordu ancak hâlâ sert bir mesaj taşıyordu. Kıtanın gerçekten çok büyük bir alanı, yalnızca en aptalların veya en cesurların maceraya atılabileceği arazilerden oluştuğu konusunda uyarıyordu. Ya da en bilgililerin, yani orada nasıl hayatta kalacaklarını bilenlerin... İnsanlar; Berberileri, Tuaregleri ve Bedevileri yani, Beck'in caddeden karşıya geçerek eve gitmesi gibi doğal bir şekilde, çöl hayatını soluyarak yaşamlarını sürdüren halkları severdi.

Aslında Beck'in Sahra'ya gelmeyi en çok düşündüğü an, Fas seyahatleri esnasında üstünden uçtukları zamandı.

Peter üstüne doğru sendeledi. "Ups! Pardon!"

Fotoğraf makinesini tekrar dışarıya çıkarmıştı ve kamerayla havaalanın etrafını çekiyordu. Geri geri yürürken Beck'in arkasında durduğunu görmemişti.

"Sadece uçağın fotoğraflarını çekiyordum," diye açıklama getirdi.

Beck sırıttı ve arkasına baktı. "Evet, şey, sonuçta bizi buraya getirdi. Gerçekten de bir uçaktan yapmasını istediğim tek şey bu."

Peter'ın birdenbire yüzü kızarmıştı "Hey, özür dilerim. Düşüncesiz davrandım."

Beck kaşlarını çattı. "Ha?"

"Yani sen ve-" eliyle işaret etti, "-uçaklar. Biliyorsun işte..."

Beck anlamıştı, gülümsedi. Peter uçak kazası ile başlayan son Alaska macerasını kastediyordu. Kazadan sonra, Alaska maceraları bu sefer de uzun ve zorlu bir yolculuğa dönüşmüştü. Dondurucu bir nehri yürüyerek geçmek, bir buzul yarığının içinden çıkmak için buzdan bir duvara tırmanmak ve dışarıda onu öldürmeye çalışan kar fırtınası şiddetini arttırırken, dağların tepesinde kardan bir oyuğun içinde geceyi geçirmek zorunda kalmışlardı.

Kaza raporunda, uçağın tek motorunun arızalanması sonucu düştükleri yazılıydı.

"Uçaklar ile aram iyi," diye üsteledi ancak ufak bir ekleme yapmadan geçemedi, "Tabi eğer motor sayısı birden fazlaysa.

Bugünlerde, uçağa binmeden önce kaç tane motor olduğunu dikkatlice sayıyorum."

Peter, arkadaşının söylediklerine nasıl tepki vermesi gerektiğini bilemiyordu ancak Beck'in sırıttığını görünce rahatlayarak gülümsemeye başladı.

Çantalarını topladılar ve şehrin kargaşasına karıştılar. Yıpranmış eski bir servis otobüsü onları otellerine taşıyordu.

Beck, en az kendi yaşı kadar eski model bir araç olduğunu tahmin etti. Koltuktaki yarıklar kabaca bantla sarılmıştı. Sürücü trafikte yön bulmaya çalışırken bir eliyle de amansızca ve uzun uzun kornaya basıyor, bu esnada otobüs bir uçtan bir uca yalpalıyordu. Yankılanan seslere bakılırsa, diğer sürücüler de benzer şekilde araç kullanıyordu. Yollar hıncahınç doluydu; çoğunlukla eşit derecede hırpalanmış kamyonlar ve üst açık yük arabalarıyla. Arada, nadir de olsa yeni model parıldayan bir Jeep veya Land Cruiser marka araçlar da vardı. Serveti olanlar, zenginliklerini açıkça göze sokan bir kültüre sahiptiler. Bir de taksiler vardı; yüzlercesi, intihar sayılabilecek hareketlerle diğer taşıtların arasından sıyrılıyordu.

Her sürücü, yolu kendinden başka kullanan herkesi potansiyel düşman olarak görüyordu sanki.

Klima yoktu. Pencereler sonuna kadar açıktı, baharata benzer bir koku ve kuru hava, aracın içine doğru esiyordu. Ağır ve sıcak araç kokusundan tamamen kurtulamadılar.

Beck hâlinden memnundu. Eğer tam olarak evinizdeki rahatlığı arıyorsanız, o zaman yurt dışında bulunmanın amacı neydi diye sık sık düşünürdü. Afrika'daki bir kasabanın tadını çıkarmanın tek yolu Afrika'daki bir kasabalı gibi davranmaktır. Kendini tamamen dâhil etmelisin.

Peter'a doğru bir bakış attı ve onun neler yaptığını merak etti. Arkadaşı daha önce hiç Avrupa dışına çıkmamıştı. Kendi kendine kıkırdadı. Peter, tabii ki fotoğraf makinasını gözüne dayamış bir şekilde pencereden sarkıyordu. Durumdan çok keyif alıyormuş gibi görünüyordu.

"Hey! Hayran kaldım!"

Otel odasına adım attıkları zaman Peter'ın ilk söylediği şey buydu. Büyük üç bıçaklı tavan vantilatörü, sıcak havanın içinde uğulduyordu.

Odanın içinde ikiz yataklar vardı ve yan tarafta bir banyo bulunuyordu. Tül perdeler, açık pencerelerin önünde hafifçe dalgalandılar. Kuvvetli güneş ışıklarını engelliyor ve haşereleri dışarıda tutmaya yardımcı oluyorlardı.

"İşte bir mini buzdolabı!" Peter kapağını kontrol etti ve yüzü biraz düştü. "Kilitli." Pencerelere doğru koştu ve balkona açılan kapıyı buldu. Önündeki perdeleri mücadeleyle aştı. "Harika, üstelik bir yüzme havuzu da var!"

Beck hâlâ giriş kapısından öteye geçmemişti. "Ayrıca, iki tane valizle baş başa kalan bir arkadaş..." diye sessizce homurdandı.

Valizleri odanın içine doğru sürükledi ve kendi valizini pencerenin kenarındaki yatağın üstüne bıraktı. Peter kendi için bir seçim yapmayacaksa şayet; kendi seçimini yapabileceğine dair karar aldı.

İki yatak arasında bulunan masanın üstünde basit bir oda servisi menüsü vardı. Beck menüyü aldı ve çabucak göz gezdirdi.

"Olamaz, üzgünüm," diye seslendi. "Bu kadar da olmamalı. Taşınıyoruz."

Peter ışık hızıyla içeriye geri döndü. "Taşınıyor muyuz?" diye sordu şaşkınlıkla.

Beck elindeki menüyü sağa sola salladı. "Biliyor musun? Menüde böcek yok. Eğer hayatta kalmak için yiyeceğin türden bir yemek yoksa gerçek bir tatilden söz edemezsin bana," dedi ifadesiz bir şekilde.

Peter'ın gerginliğini üstünden atması için biraz zaman geçmesi gerekti. Beck'in Alaska macerasında yemek zorunda kaldığı şeyler ile ilgili her detayı dinlemeye bayılıyordu. "Of ya, hey-hey! Fakat hadi ama şu havuza bir baksana!"

Beck arkadaşının onu balkona doğru sürüklemesine izin verdi. Yuvarlak çimenlikli alanda yükselen bitkin görünümlü palmiye ağaçlarının ortasındaki yüzme havuzu gösterdi. Havuzdaki tertemiz mavi su ışıldayarak göz kamaştırıyordu. Şehrin gürültülü şamatası binanın kalın duvarları tarafından engelleniyordu. Bahçe huzurluydu; havuz serin ve davetkâr görünüyordu.

"Peki." diye onayladı. "Sona kalan süt çocuğu olsun..."

***

"Beck, Peter." dedi Al. Arka plandaki restoranın sesini bastırmak için biraz daha yüksek bir sesle devam etti, "Bu bizim ev sahibemiz, Bayan Chalobah."

Açık hava restoranı iç taraftaki bahçeyle bitişikti. Günün bu saatlerinde hava hoş bir serinlikte olurdu. Böcekleri uzaklaştırmak için masaların üstünde mumlar yanıyor, baharatlı yiyecek kokuları rüzgâra karışarak dağılıyordu. Papyonlu bir garson onlara, konferansın da organizatörü olan Bayan Chalobah'ın çoktan oturmuş olduğu masaya doğru yolu gösterdi. Her ne kadar bu kadınla ilgili Beck çok şey duymuş olsa da onunla hiç karşılaşmamıştı. Kadın onları karşılamak için ayağı kalktı. Parlak renkte bir kaftanı, kafasında başlık ve yüzünde kocaman bir gülümseme vardı.

"Alan! Seni görmek ne güzel!"

Bayan Chalobah, Al'i iki yanağından öptü ve daha sonra yüzündeki geniş Afrikalı gülümsemesini iki çocuğa doğru çevirdi. Biraz rahatsız olmuşcasına kımıldanıyorlardı: Al onlardan ceket giymelerini ve kravat takmalarını istemişti. Beck, bütün tatil boyunca bunları giymek zorunda kalacağı ilk ve son anın, şu an olmasını umuyordu.

"Ne kadar da yakışıklı iki genç adam! Gelin buraya oturun. Bana yolculuğunuzu anlatın bakayım..."

Eğer Beck'e sorsaydı, basitçe bir şeyler söyleyerek geçiştirecekti. "İyiydi, teşekkür ederim. Uçağa bindik ve Freetown'a uçtuk." Hiçbir şey hakkında sonsuza kadar konuşabilecek yetişkinler ile karşılaşmıştı ama asla bu konuda ustalık kazanamamıştı.

Fakat Peter'a bakıyordu. Peter, seyahatlerini Heathrow'dan başlayarak sanki bu Londra'dan Sierra Leone'ye daha önce hiçbir uçak kalkmamış gibi anlatabilirdi. Anlatırken kadın da bir yandan kafa sallamaları ve gülümsemeleriyle onu cesaretlendiriyordu. Beck ve Al göz göze geldiler. Al göz kırptı. Beck yavaş yavaş Bayan Chabolah'a ısınıyordu.

Sonra Peter'ın masumane sorusunu duydu: "Bay Chalobah da bu akşam gelecek mi?"

Beck amcasının rahatsız olduğunu gördü ve bunun sorulmaması gereken bir soru olduğunu tahmin etti. Bayan Chabolah'ın neşeli ifadesi biraz bozuldu.

"Bay Chalobah bize katılmayacak," dedi. Basit ve hüzünlü bir ciddiyetle söylemişti. Peter bile kadının söyleyecek daha çok şeyi olduğunu fark etti, sadece doğru kelimeleri bulmaya çalışıyordu. Sessizce bekledi ve kadının kendi temposunda devam etmesine izin verdi.

"Ülkemizin karşı karşıya olduğu birçok sorundan biri, ülkemizin servetini kendi çıkarları için kullanan insanların olmasıdır. Eşim, elmas endüstrisinden gelen paranın Sierra Leone'nun refahı için kullanılması gerektiğine inanıyordu. Biz gelişmekte olan bir ülkeyiz ve bu gelişim için bir şekilde bedel ödenmelidir! Ancak acımasız ve kötü insanlar onlara ait olmayan şeyleri alarak kendilerini zenginleştirirler, geri kalanımızı da sefalet içinde boğuşmaya terk ederler."

"Kaçakçılar mı demek istediniz?" diye sordu Beck.

Kadın ona doğru bir bakış attı ve ağır bir şekilde başını yukarı aşağı sallayarak onayladı.

"Evet... Kaçakçılardan bahsediyorum," diye onayladı. "Onlar bu ülkenin baş belası."

"Bay Chalobah eskiden bir yargıçtı..." diye söze başladı Al.

"Evet, o bir yargıçtı," dedi kadın, oldukça ağırbaşlı bir duruşu vardı. "Kaçakçılar arasındaki en kötülerinden birini hapis cezasına çarptırarak haksız servetine el koyan bir yargıçtı. Adamın iş ortakları intikamını aldılar. Her yaş grubundan binlerce insan yas tutarak kocamın cenazesine katıldı. Dostlarımız, hiç tanımadığımız insanlar ve hatta farklı suçlardan cezalandırmış olduğu bazı eski mahkumlar... Hepsi, katilleri lanetlemek ve iyi bir adama son kez saygılarını sunmak için birlik olmuşlardı.

Kadın, her birinin gözlerine ciddiyetle baktı. "Peter, Beck... Bahsettiğim bu kişiler hiç iyi insanlar değiller. Afrika halkı için utanç kaynağılar. Üstelik çok da iyi teşkilatlanmışlar. Kötülük ağları bütün kıtaya ve hatta ötesine yayılıyor. Fakat mesela amcanız gibi insanların yardımıyla..." Al'ın elini sıktı ve birdenbire yeniden keyifli bir ruh haline büründü, "...bu iyi insanın ve bu konferansın yardımıyla umuyorum ki bizler ilerleme kaydedebilir ve bu karanlık zamanları kesin olarak geride bırakabiliriz."

Hepsi gelecek güzel günlerin hatırına bardaklarını havaya kaldırdı ve taze sıkılmış meyve suyu kokteyllerinden içtiler.

BÖLÜM İKİ

Ertesi gün temsilciler konferansa gelmeye başladılar. Beck ve Peter, Al'ı kısa bir süre için kahvaltıda gördüler. Ayakta kahvesini içerken "gitmem gerekiyor," dedi. Cüzdanını yokladı. Sonra biraz kâğıt para ve bozuklukları Beck'in eline sıkıştırdı. "Bunu alsana. Bir şeye ihtiyacınız olursa diye. Akşama görüşürüz. Güle güle!"

Bundan sonra kendi başlarınaydılar.

Beck, Sierra Leone'nin para biriminin Leone olduğunu öğrenmişti. Al onlara yaklaşık iki yüz Türk Lirası değerinde para bırakmıştı. Otel lobisinde bazı broşürleri incelediler ama sonunda Sierra Leone'nin iç kesimlerinde bulunan bu küçük şehrin kesinlikle bir turizm bölgesi olmadığını kabul ettiler.

"Bu kadar parayla aslında Londra veya Paris, ya da New York'da olsak süper olurdu." dedi Peter, düşünceli bir şekilde. Tutmuş olduğu el ilanlarına üzgün bir şekilde bakıyordu. "Görülmesi gereken pek bir şey yok. Fas'a gidip gerçek bir tatil yapmak için sabırsızlanıyorum..."

"Havuzun dibindeki bozuk paraları toplayabiliriz." Beck öneride bulunurken bir yandan sırıtıyordu. Tıpkı bir balık gibi yüzebiliyordu. Kolaylıkla havuzun en derin yeri olan üç metreye kolaylıkla dalabilirdi. Peter ise önceki günkü denemelerde bunun için çok vakit harcamasına rağmen zar zor, yüzeyden aşağıya doğru ancak on beş santimetre dalabilmişti.

Peter gülümseyerek karşılık verdi. "Seninle yarışırım!"

Böylece çocuklar sabah vaktini havuzda geçirdiler. Beck, Peter'a nasıl balıklama dalınacağını gösterdi: Başı suyun içinde aşağıya doğru ve ayakları yukarıya doğru dimdik uzatarak.

"İşte bu şekilde yapacaksın," diye açıkladı ve hareketi defalarca gösterdi. "Sadece aşağıya süzül..."

Beck ayaklarını kaldırarak havada çırptı ve havuzun dibine doğru dalarak atmış olduğu bozuk paraları toplamaya başladı. Suyun basıncı kulaklarında uğulduyordu ve tekrardan yüzeye çıkmak için ayaklarını çırptı.

"Hadi bakalım, tekrar dene..."

En ufak bir su damlası burnunun içine kaçınca Peter kendini boğuluyormuş gibi hissediyordu. Tıpkı break dans yapan bir balina gibi suda devamlı çırpınıyor ve yüzeye çıkmadan önce etrafına su fışkırtıyordu. Ancak bir süre sonra nihayet bunu yapabileceğine kendini inandırdı. Bir sürü başarısız girişim sonucunda -her ikisi de kaçıncı denemede olduklarını bilmiyorlardı- nihayet Peter'ın parmakları zemindeki en derin noktayı süpürerek bozuk paralardan birini yakalayabilmişti.

"Başardım!" Yüzeye her çıkışında zafer çığlıkları atıyordu. "Başardım!"

Denemekten asla vazgeçmedi, diye düşündü Beck. Sadece demeye devam etti. Arkadaşıyla gurur duyuyordu.

Sonrasında Peter havuzdan çıktı ve Beck'in asla aklına gelmeyecek birçok değişik açıyla suya dalışını filme çekti. Su altında havuzu bir uçtan diğerine yüzerken kaydetmek istedi ancak güneş suyun yüzeyinden o kadar parlak yansıyordu ki Beck aslında videoda gözükmüyordu. Peter bir dakika boyunca boş bir havuzu baştan aşağıya filme çekmiş gibi görünüyordu.

"Sanırım bu kadar görüntü yeterli..." dedi sonunda. Koluna bakarak cildini inceledi. "Sanırım ben fazla yandım."

"Yanında getirdiğin güneş kreminden sürmedin mi?"

"Sürdüm ama muhtemelen hepsi havuzun içinde yıkanarak temizlendi. Babam daima, cildim yanmaya başladığı an derhâl güneşin altından çekilmem gerektiğini söyler."

"Pekala, ben de bir dakika içinde çıkacağım." Beck suyun içinde takla attı ve yüzeyin üstünde gözden kayboldu.

Ayaklarını çırparak birkaç defa daha aşağıya daldı ve yukarıya çıktı.

En sonunda havuzdan çıkması gerektiğine karar verdi. Güneş altında kolayca yanmayan bir cilde sahip olduğuna çok sevindi ama burası Afrika'ydı. Çok geniş bir güneş şemsiyesinin altındaki şezlonga uzandı ve sıcak havanın doğal yollarla onu kurutmasına izin verdi. Güneş, üstündeki bezin ötesinde duran parlak bir ışıktı ve bezin arkasından onu seçebiliyordu.

Çok tuhaf diye düşündü Beck. Güneşin sıcaklığı dünyaya hayat veriyordu. O olmasaydı, dünya sadece donmuş bir buz topu olurdu. Alaska dağlarında mahsur kaldığı zaman bile güneş kendini fark ettirmeden onu sıcak tutmaya devam etmişti.

Bu yaz İngiltere'de rekor derecede yağış olmuştu. Güneşin her türlü hâlinden memnun olmuşlardı. Eski halkların bir zamanlar neden güneşe taptıklarını anlamak zor değildi.

Fakat güneş çok kolayca kabak tadı vermeye başlayabilirdi. Daha küçük bir çocukken Beck, Güney Afrika'da bulunan Kalahari Çölünde yaşayan Buşmanlar ve Orta Avustralya'nın Aborijin halkları tarafından eğitilmişti. Çevreci eylemleriyle tanınan Yeşil Güç Grubu için çalışan anne ve babasıyla beraber bu bölgelerde bulunma şansını elde etmişti. Güneşe saygı duyması gerektiğini öğrenmişti. Buralarda yaşayan çöl insanları, güneşin kaşla göz arasında sizi nasıl öldürebileceğinin farkındaydılar. Yanlış anlaşılma olmasın diye bunun saatler içinde olabileceğini söyleyebiliriz.

Beck iç geçirdi ve gerindi. Parmakları masanın yanında duran başka bir otel misafirinin bırakmış olduğu derginin sayfalarında gezinerek dergiyi aylakça havaya kaldırdı. Parlak kapaklı bir doğa dergisiydi ve içini açtığında tüm ihtişamıyla parlaklığı göz kamaştıran bir akrep fotoğrafıyla karşılaştı.

Renkli fotoğraf iki sayfaya yayılmıştı. Yaratığın rengi açık kahverengimsi bir sarıydı ve Beck'e, sanki farklı böceklerin parçalarını kullanarak oluşturulmuş tamamen yeni bir böcek gibi görünüyordu. Yengecinkine benzeyen kıskaçları akrebin boyuyla ölçüşür genişlikteydi, sanki okuyucuyu yakalayıp kavrayacakmışçasına açılmıştı.

Örümceğinkine benzer ayakları ters yöne işaret ediyor ve hem ileri hem de geri hareket edebilen bir araç gibi görünüyordu. İğnesi benzersizdi. Akrebin kuyruğunun en sonunda dikenli bir soğana benziyordu. Sızdıran bir musluktan asılı duran bir damla gibi zehir ucunda asılı duruyordu. Kuyruk dört ya da beş bölümden oluşuyordu. Her bir boğumu akrebin vücudunun kalınlığındaydı. Kıskaçlarıyla ileriye doğru atılıp avını kavramak ve ölümcül şırıngasını saplamasına uygun olacak şekilde yukarı doğru kıvrılıyordu.

Kıskaçlarının birinin altında bir metin yazıyordu:

Çoğu akrep türlerinin boyları, ortalama beş ile sekiz santimetre arasında değişir ama korkunç görüntülerine rağmen sokmaları halinde bir bal arısından daha tehlikeli ya da zehirli oldukları söylenemez. Her iki kuralın da istisnası sarı renkli ve şişman kuyruklu Sahra Çölü Akrepleridir. (Androctonusaustralis)

Ortalama uzunlukları on santimetredir ve büyük olasılıkla dünyadaki en zehirli akrep türüdür. Neredeyse bir kobra yılanı kadar zehirlidir. Isırması durumunda; felç, havale, kalp durması veya solunum yetmezliğine neden olabilir. Bu tür, Kuzey Afrika çöllerinde yaygındır.

Beck kaşlarını kaldırarak yaratığa baktı. "Sana bulaşılmayacağını hatırlayacağım..." diye mırıldandı.

"Beck! Beck!"

Arkadaşının sesi onu düşüncelerinden kurtardı ve Beck kafasını kaldırdı. Peter yanına çömelmiş endişeli bir şekilde sağa sola bakıyordu. Uzun kollu bir gömlek, pantolon ve geniş ağızlı şapkasıyla baştan aşağıya giyinmişti. Böylelikle cildi tamamen kıyafetler ile örtülüydü.

"Selam Pete. Naber?"

"Şşt!" Peter çevresine bir kez daha bakındı. Sonrasında konuştuklarını sadece Beck'in duyabileceği şekilde eğilerek söyledi.

Canını ne sıkıyorsa şayet, bunu çok önemsediği belli oluyordu. "Çıkmalısın artık."

"Biliyor musun? Eğer dikkat çekmemeye çalışıyorsan cidden başarısız oluyorsun." dedi kıkırdayarak Beck. "Yanımdaki şezlonga uzanabilirsin. Biraz kurnaz olmaya çalış."

"Ben ciddiyim!" Peter dişlerinin arasından tıslayarak konuştu. "Dinle, kendini kurulayıp hemen odaya gelmelisin. Sana göstermem gereken bir şeyler var."

Peter'ın yatağında yan yana oturdular ve dijital fotoğraf makinasının ekranına doğru baktılar. Beck havaya sıçrayarak suyu bir torpido gibi yardı. Beck'in havuzdaki görüntülerini hızlıca geçmek için parmağıyla hızlı ileri alma tuşuna basıyordu.

"Bak." dedi Peter.

Kamera görüntüleri yavaşladı. Şu anki görüntüleri Beck daha önce görmemişti, Peter'ın tek başına yapmış olduğu çekimlerdi. Lobide dolaşan insanlar vardı.

Bazıları kendilerini kaydeden hevesli çocuğu görünce doğrudan kameraya bakarak gülümsüyorlardı. Başka bir çekimde pencerenin dışından direkt havuza bakan bir görüntü vardı. Her nasılsa Peter yapının diğer tarafına açılan bir pencere bulmuştu. Yukarıdan sokağa ve günlük trafik kargaşasına bakıyordu.

Sonra küçük bir kelebek vardı. Yarı saydam mavi renkliydi ve bir yerlerde sarmaşığın üstünden sarkıyordu. Arka plana bakarak neresi olduğunu söylemek imkânsızdı. En başta Beck bunun sadece bir fotoğraf olduğunu düşündü ancak sonrasında hafifçe hareket eden insan vücutlarını fark etti. Etkilenmişti. Peter onu hiç ürkütmeden olabildiğince yakına sokularak filme çekebilmişti.

"Pekâlâ." dedi Beck. "BBC Doğa Tarihi Birimi'nde bir geleceğin olduğunu görüyorum."

"Hayır o değil." Peter ses açma menüsüne tıkladı ve sesi en yüksek seviyeye getirdi. "Dinle."

Beck minik hoparlöre doğru eğildi. Arka planda çok zayıf bir ses duyuluyordu. Bir adam sesiydi.

Ama kameranın mikrofonu bu kadar açıkken etraftaki tüm sesleri kaydediyordu. Beck sadece arka plandaki karmaşadan parçalar duyuyordu.

"...ürün... yol boyunca..." sonra başka bir adamın sesi duyuldu:

"...şu an yüklemede... geçiş izni..."

"...kâğıt işleri halloldu... güçleri yetmez..."

Ardından en ilginç olanı duyuldu:

"...kılık değiştirecek..."

"Ne kılığına girdi?" dedi Beck, videoyu tekrar oynatmaya çalışıyordu. Kaydın sesini duymak için zorlandıktan sonra kendi sesi çok yüksek çıktı.

"Bilmiyorum!" diye cevapladı Peter.

"Nerede çektin bunu?"

"Lobide duran saksı bitkilerini biliyor musun? Kelebek oradaydı. Bu saksılar oradaki sütunların hemen yanındalar. Biliyor musun, sütunlar avluya kadar devam ediyorlar. Bu adamlar onların tam da arkasında duruyorlardı. Orada olduğumu bildiklerini sanmıyorum. Tekrar dinlesene."

Görüntüleri bir kez daha oynattılar. Sonra birbirlerine baktılar.

"Beck..." Peter tek başlarına kilitli bir kapının arkasında olduklarını ve kimsenin içeri giremeyeceğini bilmesine rağmen gergin bir şekilde odanın içinde sağa sola bakınıyordu. "Kâğıt işlerini halletmekten bahsettiler; bilirsin işte, ithalat belgeleri, geçiş izinleri, gümrük belgeleri? Ayrıca bir mal ve farklı bir şey kılığında mı?"

Beck gergin bir yüz ifadesiyle odaklanmıştı.

"Beck," diye fısıldadı Peter vurgulayarak, her yeri heyecandan titriyordu. "Bayan Chalobah'ın dediklerini hatırlıyor musun? Onların kaçakçı olduğunu düşünüyorum!"

BÖLÜM ÜÇ

Beck ciddi bir şekilde bakmayı sürdürdü. Peter'ın bunun içine gerçekten balıklama daldığını söyleyebilirdi. Peter bir muhabir olmak istiyordu ve ilk hikâyesi burada karşısında duruyordu.

Ancak Beck'in içinde bir baskı oluştu ve buna karşı koyamıyordu. Ne kadar denerse denesin, hisleri de bir o kadar büyümeye devam ediyordu. Dudağının kıvrımının seğirdiğini hissetti. Dudaklarını düzgün tutabilmek için bastırdı ama engel olamadı.

Sonra Peter'ın yüzüne baktı ve benzer bir durumun arkadaşına da olduğunu gördü. Omuzları titremeye başladı ve sonra tamamen dışarıya bırakmak zorunda kaldı, bir kahkaha seliydi. Peter'ın gergin kıkırdayışları kendine özgü kahkahalara dönüşmüştü.

Beck'in gülüşü iki katına çıktı. Peter kendini, geriye doğru yatağının üstüne bıraktı ve göğüs kafesi gülmekten dalgalanıyordu.

"Kaçakçılar!" Beck'in gülmekten nefesi kesildi. "Kesinlikle öyledir!"

Adamların gerçekte kim oldukları ve konuşulan şeyler hakkında hiçbir fikri yoktu. Bir şey ispatlamanın, zorla duyulan konuşmalardan ve kuvvetli bir hayal gücünden çok daha fazlasıyla olacağını biliyordu. Lobideki adamların tamamen farklı şey hakkında konuşuyor olma ihtimalleri çok yüksekti.

"Kabul etmelisin, bu kesinlikle havalı olurdu..." Peter devam etmeye çalıştı ama çok fazla gülüyordu.

"Hey, Al Amca, bir grup elmas kaçakçısını yakaladık!"

"Hah!" Peter gözlerini devirdi ve Beck'in amcasını taklit etmek için sesini kalınlaştırdı: "Sizi bir saniye bile yalnız bırakamam, değil mi çocuklar?"

Beck tekrar doğruldu, gülümsemeye devam ediyordu. Sonra Bayan Chalobah'ın söylediklerini hatırladığında gülümsemesi biraz karardı. Gerçekten kaçakçı olsaydılar, çok dikkatli bir şekilde hareket etmek zorunda kalacaklardı: Muhtemelen Al'a anlatacaklardı, böylece o da Bayan Chalobah'a anlatabilecekti ve sonra Sierra Leone'den hemen ayrılmaları gerekecekti. Bununla başa çıkma işini yetkililere bırakacaklardı. Al'ın söylemekten çok hoşlandığı gibi; herkes iyi olduğu işi yapsın.

Birileri kapıyı çaldı ve ikisi de olduğu yerde sıçradılar.

"Çocuklar." kapıdan boğuk ama tanıdık bir ses geldi. "İçerde misiniz?"

Beck, amcasını içeriye almak için kapıya yöneldi.

"Selam. Temsilciler gelmeden önce kısa bir ara verildi. Bu arada her şey yolunda mı diye ikinize bakmaya gelebileceğimi düşündüm. Ne oldu?" diye ekledi kuşkuyla. Çocukların yüzündeki geniş gülümseme hâlâ devam ediyordu.

"Bir şey yok," diye güvence verdi Beck. "Evet, her şey yolunda. Değil mi Peter?"

O akşam üçü birlikte yemek yediler ve ertesi sabah da kahvaltı yaptılar. Ancak çocuklar Al'a bu konuyla ilgili bir şeyden bahsetmediler. Konferansın son gününün sabahında, Al tekrar onların yanından ayrılmak zorunda kaldı.

Peter ve Beck lobiden geçerek odalarının yolunu tuttular. Yumuşak bir uyarı sesiyle birlikte asansörlerden birinin kapısı kayarak açıldı.

Peter aniden Beck'i kenara çekti. Lobiden bazı ofislerin bulundukları alana açılan, dar ve loş koridora doğru onu sürükledi.

"Onlar, yine onlar!" diye dişlerinin arasından konuştu. "Konuşmalarını duyduğum adamlar! Öylece asansörden çıktılar." Beck'i hafifçe dirseğiyle dürterek karşıyı gösterdi. "Baksana!"

Beck köşeden başını uzattı. İki tane adam asansörlerin önünde bekliyorlardı. Beck'e göre gayet sıradan iki adam gibi görünüyorlardı. Biri Afrikalı, diğeri ise Avrupalı ya da Amerikalı olabilirdi. Üstlerinde günlük kıyafetler vardı, bir çift turist gibiydiler.

Adamlar girişe doğru yürümeye başladılar, bunun için bulundukları koridorun sonundan geçmek zorundaydılar.

Beck hemen geri çekildi ve Peter onu koridorun daha da içerisine çekti.

"Ne olmuş yani?" dedi Beck, Peter'ın melodramlarından yorulmuştu."

"Ne yapacaklarını merak ediyorum..."

"Bilemiyorum. Belki konferans için gelmişlerdir."

"Konferans için burada olsalar diğerleri gibi takım elbise veya kabile kıyafetleri giyerlerdi." diye belirtti Peter.

"Öyleyse turist olmalılar," dedi.

Peter ona çok garipseyerek baktı. "Turist mi? Söyler misin, buralarda gidilebilecek herhangi bir turistik yer bulabildik mi?"

Beck bu noktada haklı olduğunu itiraf etmek zorunda kaldı. "Peki. Bir çeşit iş yapıyorlardır. Burası bir şehir, Pete. İşler bitmez..."

Geçidin sonuna geldikleri zaman adamlar durdu. Etraf loştu. Az ileride onlar gizlice dinleyen çocukları göremediler. Adamlardan biri başını diğerine doğru yaklaştırdı.

"Eğer mallar kaybolursa, bizi vuracaklarının farkında mısın?" diye fısıldadı. Diğer adam ise ruhsuz bir şekilde sadece baktı. Sonra kafasıyla onayladı ve otelin girişine doğru ilerlemeye devam ederken iş arkadaşının omzuna eliyle hafifçe vurdu.

Kulak misafirlikleri bitince, "Vaay..." diye mırıldandı Beck.

Peter köşeden başını uzattı. "Taksi çağırıyorlar!"

"Güzel." Beck tekrar lobiye dönünceye kadar arkadaşını takip etti. Tam da adamlar taksinin arkasına otururlarken onlara yetişmişlerdi. "Bırakalım gitsinler."

"Bırakalım gitsinler mi?" Peter ona deliymiş gibi baktı.

"Evet, bırakalım gitsinler!" diye net bir şekilde tekrarladı Beck. "Dinle..."

Daha önce benzer bir durumda bulunmuştu. Birkaç ay önce Kolombiya'dayken Cartagena'nın rüşvetçi polis şefini yakalayıp hapse attırmıştı.

Ramirez, uyuşturucu ticaretine karışmıştı. Beck sizi vurabilecek insanlara bulaşmanın ne demek olduğunu biliyordu. En iyi strateji güvenli bir şekilde uzak durmaktı.

Tüm bu geri gelen anılar yüzünden bir an duraksadı. Peter fırsatı değerlendirmek için girişe doğru ilerlemeye başladı.

"Nereye gittiklerini bilmek istiyorum." Taksi, içindeki iki adamla birlikte uzaklaşırken onları izledi. "Hadisene! Biz de bir taksi bulmalıyız!"

"Bekle, bekle, bekle!"

Ancak Peter çoktan lobiyi yarılamıştı ve Beck onu durduramamıştı. "Sen..." Peter'ı kalması yönünde ikna etmek için iyi bir sebep bulmaya zorladı kendini. "Hiç paran yok!"

"Yok ama senin var." dedi Peter mantıklı bir biçimde. "Hatırladığım kadarıyla iki yüz liran olacak."

"Evet haklısın ama para bunun için değildi." Beck söze başladığında Peter kapıya varmıştı. Beck küfretti ve Peter'ın arkasından otelin dışında beklemekte olan taksi sırasına doğru koştu.

Arkadaşının yanına ulaştığı sırada, Peter sıradaki taksiye işaret ediyordu.

Taksi yanlarına çekti ve sürücü onlara doğru eğildi. "Nereye baylar?" diye seslendi.

Beck gerginlikten yerinden duramıyordu. Hayır, buna dahil olmak istemiyordu fakat Peter'ın her türlü buna dahil olacağına dair içinde korkunç bir his vardı. Birileri onu bu beladan uzak tutmak zorundaydı.

"Onları takip edeceğiz, değil mi? Fakat hepsi bu."

Sonra kendi kendine düşündü, havuzda geçirecekleri başka bir günden çok daha ilginç olabilirdi...

"Elbette." Peter çoktan taksinin arka koltuğuna geçmişti. Beck de onun arkasından taksiye bindi ve kapıyı kapattı. O sırada Peter adamların taksisini işaret etti ve "Öndeki taksiyi takip et!" dedi.

Sürücü, yüzünde kocaman bir Afrikalı gülümsemesiyle onlara doğru döndü. "Bütün hayatım boyunca birinin bana bunu söylemesini bekledim!"

Gaz pedalını sonuna kadar kökledi ve taksi trafiğin içine doğru daldı.

BÖLÜM DÖRT

"Ee baylar... Nerelisiniz? Londra? Bu harika! Londra'yı hep ziyaret etmek istemişimdir. Bu sizin Sierra Leone'yi ilk ziyaretiniz mi? Güzel ülkemizin tadını çıkarıyor musunuz?"

Taksi şoförü, Beck ve Peter'a sorular yöneltirken yüzünde geniş bir sırıtış vardı. Çoğu zaman onlara bakarak konuşuyordu, ki bunun anlamı o sıra yola bakmıyordu. Görünüşe göre telepatik güçlerini kullanarak trafik meselesini hallediyordu. Ya bu ya da rastgele bir rotaya yöneldiğinden herkes önünden çekiliyordu.

Görünüşe göre bu yetenek, dünya genelindeki tüm taksi şoförlerine verilmiş bir armağandı.

Beck'in gözleri sürekli takip ettikleri taksinin üstündeydi.

"Şu hâlde görünen o ki;" sürücü sonunda nereye gidiyor olduklarına dikkat etmişti, "arkadaşlarınız havaalanına doğru gidiyor. Bu yolun onları başka bir yere götüreceğini sanmıyorum.

"Geri dönüş yolculuğuna ihtiyacınız olacak mı?"

"Evet," dedi Beck.

"Belki daha sonra." dedi Peter. Zorlayıcı bir şekilde Beck'e baktı.

Beck iç geçirdi. "Belki daha sonra." diye onayladı. En azından başka Avrupalıların da havaalanında olacağını düşünmek içini rahatlattı. Peter'la beraber insanların içine karışma şansları çok daha yüksek olacaktı. Adamlar muhtemelen onları tanımayacaklardı. Üstelik kendileri tarafından takip edildiklerini hayal bile edemezlerdi.

Muhtemelen. Adamların bir şekilde onları tanıyabilme ihtimaline karşı, Beck onlara çok yakın durmaya niyetli değildi.

"Peki baylar, dert değil. Otele geri dönmek isterseniz taksi sırasında olacağım," şoför kıkırdadı.

"Şu arabayı takip et!" sonunda bana bunu diyen bir çıktı "Şu arabayı takip et!" Karım buna asla inanmayacaktır..."

Sesi birdenbire şaşkın bir şekilde çıktı. Peter ve Beck hemen dikkat kesildiler. "Ne oldu?"

"Terminali geçtiler. Demek ki oraya gitmiyorlar. Kargo alanına doğru yöneldiler. Hâlâ takip etmek ister misiniz?"

Çocuklar birbirlerine baktılar. Beck, Peter'ın gözlerinde yanan ateşi gördü.

"Evet," dedi, meraklanmıştı. "Neden olmasın?"

Sürücü onları havaalanın çevresindeki çitlerin yanında, adamların taksiden indiği servis kapısına yüz metre mesafede bıraktı. Onlara son bir kez "Bol şans!" dileklerini iletti ve terminale geri döndü. Beck ve Peter çitler boyunca ilerleyip kapının diğer tarafındaki kargo alanını gözetledi.

Yüksek teller yol boyunca devam ederek onları havaalanı arazisinden ayırıyordu.

Bir tarafın üstünde büyük bir hangar vardı. Kapıları sonuna kadar açıktı, içinde gelişi güzel yerleşmiş birkaç küçük uçak bulunduracak kadar büyük olduğunu görebiliyorlardı. İki adam bir amaçları varmış gibi hangara doğru yürüyorlardı.

Beck, ön tarafa park edilmiş olan uçağın modelini tanımıyordu. Pervaneleri, kutu şeklinde bir gövdesi vardı ve yan taraflarda küçük yolcu pencereleri sıralanıyordu. İçgüdüleri Beck'e motorlarını saymasını söyledi; iki tane vardı. Uçak yıpranmış ve çok kullanılmış gözüküyordu. Kuyruğunda bir tane amblem vardı; bir aslan kafası figürü.

Servis kapısında asma bir kilit takılıydı ama tel örgünün altında her iki çocuğun da geçebileceği genişlikte küçük bir boşluk vardı. Peter önden gitti ve Beck de vakit kaybetmeden takip etti. Havaalanının en uç köşesindeki bu noktada tellerin altından kayarak içeri girdiklerini kimse fark etmedi.

Dikkatlice çevrelerine bakındılar. Hangarın hemen yanında küçük prefabrik bir baraka bulunuyordu. Beck ve Peter'a yaklaşık otuz metre uzaklıktaydı. Pencerelerin üstünde yassı bir şekilde aynı aslan kafası logosuyla birlikte ASLAN DAĞ UÇAK KİRALAMA kelimeleri yazıyordu. Barakadan bir adam çıktı ve otelden beri takip ettikleri ikiliyi selamlayıp ellerini sıktı. Sonra geri döndü ve önlerinde yürüyerek yolu gösterdi.

"Çabuk," dedi Peter, bir elinde kamera ile birlikte ileri doğru atıldı.

Fark ettirmeden barakaya doğru yanaştılar. Pencerelerin görüş açısından uzak durmaya özen gösteriyorlardı. Pencereler açıktı ve yaklaştıkça konuşulanları duyabiliyorlardı. Adamlardan biri, Beck'in tahminlerine göre mekânın sahibi olan, konuşkan ve arkadaş canlısıydı. Diğerleri, takip ettikleri adamlar, homurtular ve tek heceli kelimelerle cevapladılar.

"Evrak işleriyle ilgili birkaç formalite, beyler. Lütfen burayı imzalayın... ve burayı... Teşekkür ederim. Şimdi, işte sigorta sözleşmesinin kopyaları. Bunları okuyup imzalamalısınız..."

Beck barakanın köşesinden başını uzattı. Uçak sadece birkaç metre ötelerinde duruyordu. Uçağın yan tarafındaki sürgülü kapı sonuna kadar açıktı ve iç kısmının tahta sandıklarla dolu olduğunu görebiliyordu. Adamlar uçağı kiralıyordu ve ağzına kadar dolu olduğu açıkça ortadaydı. Uçağın kalkmasından önce ne kadar zaman vardı?

Peter da aynı şeyi görmüştü; muhtemelen aynı şeyi düşünmüşlerdi. Beck gözlerindeki parıltıyı görmüştü. Arkadaşını nazikçe barakanın diğer tarafına götürmek için nazikçe geri çekti. Burada pencere yoktu ve alçak sesle olduğu sürece birbirleriyle konuşabilirlerdi.

"Tamam," diye mırıldandı Beck. "Eğer bir şeylerin kaçakçılığını yapıyorlarsa muhtemelen çoktan yükleme yapmışlardır. Bu yüzden ana havaalanı binasına dönüyoruz. Bir polis memuru bulup ona anlatırız... Bir şeyler... Herhangi bir şey... Buraya gelip bakması için bir sebep buluruz. Üstümüze düşeni yapmış oluruz..."

Ancak Peter'ın gözlerindeki parıltı kaybolmamıştı. "Ya da biz bir göz atabiliriz!" diye ısrar etti. O kadar hevesliydi ki sesini alçaltmakta zorlanıyordu. Heyecanla kamerasının üzerinde oynamalar yaptı. "Kanıt! Polis memurunun dikkatini çekecektir!"

"Çıldırdın mı sen? Onlar tam da buradayken! Her an dışarıya çıkabilirler."

"Evrakları dolduruyorlar. Bu işler sonsuza dek sürer. İçeri bakarız, bir sandık açarız, bir fotoğraf çeker ve tekrar çıkarız. Saniyeler sürecektir. Hadi ama!"

Sonra hemen gitti. Beck çığlık atmak istedi. Peter'ı tutup çekerek oradan uzaklaştırmaktan başka bir çaresi yoktu ama bunu ses çıkartmadan yapması mümkün değildi ve sonuçta fark edilmelerine sebep olurdu. Gergin bir şekilde çevresine bakındı, bir an duraksadı ve sonra peşinden gitti.

Peter, barakanın çevresinden dolaşarak uzun yoldan hızlıca gitmeyi daha mantıklı buldu. Böylece içerideki hiç kimse onu göremeyecekti.

Sanki oraya aitmiş gibi uçağın içine doğru sıçradı ve en yakınındaki sandığa doğru çömeldi. Parmaklarıyla kapağın menteşelerini zorladı.

"Elini uzatsana!" diye fısıldadı.

Beck de arkadaşının arkasından hızla yukarı tırmandı.

Sandıklar uçağın her iki tarafında sıralanmıştı. Kapının karşısındaki kilitli tel kafesin içinde birkaç tane parlak renkli paraşütçü tulumu asılıydı. Kasklar ve gözlükler yerdeki kilitli bir dolaptaydı; çadır bezinden yapılmış gibi duran bir yığın sırt çantası paraşütlerin yanındaydı. Beck'in aklına bunun bir kiralık uçak olduğu geldi. Tahminince, yerel gök yüzü dalış kulüpleri için kullanılıyordu. Ayrıca anlaşılan parayı veren herkes kullanabilirdi.

Uçağın ön tarafında boş kokpite açılan bir kapı vardı. Kapı aralık duruyordu ve Beck öylece girip öndeki kontrol panelini sökebilirdi.

Sandıklar uçağın ortasından itibaren aşağıya doğru sıralanmıştı. Peter en yakındakilerden birine uzandı; Beck de diğer tarafa geçti, birbirlerine baktılar sonra kapağı zorlayarak açtılar.

Düzgün sıralar hâlinde dizilmiş soluk gümüş halkalar onlara doğru parlıyordu. Sandıkların içi, sıkıca paketlenmiş konservelerle doluydu. Beck içlerinden birine uzandı ve çıkardı.

"Balık." diye fısıldadı, şaşırmıştı. Tenekelerin üzerinde yazan etiketlere göre içlerinde tatlı suda yetişen orkinos balığı vardı fakat bu Peter'ın kamerasını çıkarıp fotoğraf çekmesine engel olmadı. "Ne var? Sandıkların içinin kayıp elmaslarla mı dolu olduğunu sanıyordun?"

"Konservelerin içinde olabilirler." Peter kameranın merceğinden bakarken inatla ısrar etti: "Nasıl açabiliriz?"

"Sadece bir tanesini cebine koy. Hadi çıkalım."

"Ne?"

Dışarıdan, uçağın sağ tarafından bir erkek sesi geldi.

Peter dondu. Beck çabucak kapının dışına bir göz attı.

Kısmen görüş açısında duran bir adam vardı. Bir ayağı orta basamakta duruyordu ve kafası diğer tarafa dönüktü. Henüz her ikisini de görmemişti ve bunun gerçekleşmesinden önce yaklaşık üç saniye kadar bir süreleri vardı. Beck sıralanmış sandıkların üstünden tek hamlede sessizce atladı ve Peter'ı görüş açısından aşağıya çekti. Uçağın zemininde düz bir şekilde uzanıyorlardı, kalpleri yerinden çıkacak gibi atıyor ve her çıkan sese kulak kabartıyorlardı.

İşitme mesafesinin dışında bulunan biri adama bir soru sormuş olmalıydı Beck ürperdi. Eğer adam bağırarak cevap vermeseydi, çok geç olmadan önce onu fark etmeleri asla mümkün olmayacaktı.

"Son bir hazırlık için ısıtacağım," diye seslendi adam. "Beş dakika içinde kalkarız."

Sonrasında adamın uçağa tırmanma sesleri duyuldu.

Beck fark ettirmeden sandıkların üstünden baktı. Adam, sırtında aslan amblemi olan deri bir pilot ceketi giyiyordu. Eğer adam Aslan Dağ Uçak Kiralama için çalışıyorsa belki bir kaçakçı olmayabilir diye tahminde bulundu. Yolcularının kim olduklarını veya amaçlarının ne olduğunu bilmiyor olabilirdi. Ancak bu onu bir çift meraklı kaçak yolcuya karşı dostane tavır alacağı anlamına gelmezdi.

Pilot, kokpite ilerledi ve kendini soldaki koltuğa bıraktı; bir dakika sonra iki motor kükreyerek canlanırken uçak sarsıldı.

Beck Peter'ın koluna sarıldı. "Dışarıya," diye bağırdı, motorun gürültüsünden dolayı duyulma şansları oldukça azdı. Peter solgun ve ter içindeydi, kafasıyla onayladı. Kamerasını çantasının içine geri koydu. İkisi de çekinerek ayağa kalktı ve hemen geri çömeldiler. Takip etmiş oldukları adamlardan biri uçağa yaklaşıyordu. Pilotun arkasından yukarı tırmandı sonra sağdaki koltuğa geçti.

Beck dişlerini gıcırdattı. İki tane adam vardı. Hâlâ üçüncüsü dışarıdaydı, otelden beri takip etmiş oldukları diğer adam. Uçuşa o da gelecek miydi? Neredeydi? Acaba dışarıya çıkarlarsa, onları görür müydü?

Pekâlâ, başka seçenekleri yoktu. Derhâl uçaktan inmek zorundaydılar. Ayağa kalktılar ve hızlıca sandıkların üstüne tırmandılar. Bu kez kapıya mümkün olduğunca yaklaştılar. Barakayı net bir şekilde görebiliyorlardı ve üçüncü adam da tam o sırada barakadan çıkıyordu. Kapıyı kapatmak için durdu sonra uçağa doğru döndü.

Yeniden sandıkların arkasına atlamaları için zaman yoktu. Beck, kapının görüş alanının dışında kalacak şekilde Peter'ı hızla kenara çekti. Şimdi ise gidebilecekleri tek yer uçağın arka tarafıydı. Uçağın tam daralmaya başladığı yerde, karşısında tuvalet olan küçük bir mutfak bulunuyordu. Beck, Peter'ı mutfağın arkasına doğru iteledi ve adam uçağa binmeden hemen önce nispeten daha küçük olan tuvalete kendini kapatmak için zaman bulabildi.

Beck kapıyı olabildiğince az bir şekilde araladı ve dışarıyı dikkatlice izledi. Adamı uçağın kapı kolunu kavrayıp kapatırken gördü sonra sıkıca kapanmış mı diye kontrol etti. En sonunda kokpitteki arkadaşlarına katıldı ve arkasından, kokpitin kapısını kapattı.

Beck ve Peter birbirlerine kısa bir bakış attılar. Peter eskisine göre çok daha solgundu ve terlemişti. Hasta olmak üzere gibi görünüyordu. Beck'in de kendini ondan daha iyi hissettiği söylenemezdi. Uçakta mahsur kalmışlardı ve bununla ilgili yapabilecekleri hiçbir şey yoktu.

Uçak harekete geçti, oluşan sarsıntı yüzünden Beck bölmeyi ayıran perdeyi kavradı. Uçak iki isteksiz yolcuyla birlikte havaalanı asfaltında hafifçe sekerek ağır ağır ilerliyordu. Kısa bir duraksamadan sonra motorlar tüm gücüyle ve öncekinden iki kat daha şiddetli bir ses çıkartarak pistten yukarı doğru fırladı.

BÖLÜM BEŞ

Uçak gökyüzüne tırmanmaya başladığında Beck'in aklından geçen düşünceler de birbiriyle yarışarak öne atılıyordu. Ne kadar uzağa gideceklerini veya nereye gideceklerini bilmiyordu. Üstelik, uçağın seyir yüksekliğine ulaşmasına sayılı dakikalar kalmıştı. Muhtemelen ön taraftaki üç adam, uçak sabit bir seviyeye gelene kadar kokpitte kalacaktı.

Şu an Peter'la durum değerlendirmesi yapmak için en iyi fırsattı.

Sürünerek tuvaletten dışarıya çıktı ve arkadaşının yanına çömeldi.

"Üzgünüm." Motorların gürültüsünden dolayı Peter oldukça sesli konuşmak zorunda kaldı ama bu durumda duyulma ihtimalleri çok düşüktü. Uçak diğer yolcu uçakları gibi ses geçirmez değildi. "Bütün hepsi benim hatam. Sadece gidip bir polis memuru bulmalıydık."

Beck arkadaşını inceledi. Peter'ın göz bebekleri büyümüştü ve yüzünün rengi hâlâ yerine gelmemişti. Çok korkuyordu ama çenesi sabit duruyordu ve dudakları belirgin bir şekilde bükülmüştü. Korkunun onu ele geçirmesine izin vermeyecekti. Onları içine soktuğu durumla yüzleşecekti.

Aniden Beck'in beyninde geçmişe ait bir sahne belirdi. Uçağa bindikleri zaman paraşütlerin görünüşü tarafından tetikleninceye kadar hafızasının bir köşesinde gizlice dışarıya çıkmayı beklemişti. Zemin 3.657,6 metre yüksekteyken bunun gibi bir uçağın kapısında durduğunu hatırladı. Kask, gözlükler ve paraşütçü tulumu giymişti, paraşütün ağırlığı arkasından çekiyordu. Elini çerçeveye dayamıştı ve uçağın pervanesinden gelen hava akımı binlerce küçük parmakla onu çekiştiriyor gibi hissediyordu.

Eğitmen yüzünü Beck'e doğru yaklaştırdı. "Korkuyor musun?" diye seslendirdi. Beck başıyla onayladı ve adam sırıttı.

"Cesur olmak için biraz korkuya sahip olmalısın!" diye bağırdı. Elleriyle Beck'i onayladığını gösteren bir hareket yaptı ve Beck atladı.

Evet, Beck anımsadı, cesur olabilmek için korkmuş olmak zorundaydınız. Eğer korkunun üstesinden gelemezseniz; bu cesaret değil sadece ahmaklık olurdu. Peter şu an tam da böyle hareket ediyordu. Sırf bu yüzden önlerindeki yarım saat boyunca Peter'a ne tür bir ahmak olduğundan bahsedebilirdi ancak bu meseleyi bir kenara itti. Akıllarında, çözülmesi gereken daha acil şeyler vardı.

"Peki," dedi Beck. "Şimdi içinde bulunduğumuz duruma bakarsak eğer, her halükârda başımız belada. Eğer bu herifler gerçekten sadece tonbalığı konservesi taşıyorlarsa, başımız daha az belada olur... Pekâlâ... Biliyorsun işte... Eğer elmas kaçakçılığı yapıyorlarsa..." diyebildi sadece.

Peter başıyla onayladı. "Vurulmak hakkında konuştukları şeyleri duydun."

"Evet..." Beck çenesini sıvazladı. Bu konu hakkında konuşmak istemedi. "Belki de sadece öylesine konuşmuştur..."

Peter ikna olmuşa benzemiyordu. Aslında Beck de kendisini ikna olmuş hissetmiyordu. Yine de bu koşullar altında tam olarak ne yapabileceklerini düşünmek zorundaydı.

"Nereye gittiklerini dahi bilmiyoruz..." diye başladı.

"Fas." dedi Peter, hiç beklenmedik bir şekilde.

Beck gözlerini kırpıştırdı. "Bunu nasıl biliyorsun?"

Peter başıyla en yakın sandığı işaret etti.

"Öyle yazıyor."

Beck arkadaşının bakışlarını takip etti. Hakikaten de sandığın bir yüzüne siyah boya kullanılarak bazı seri numaraları ve ibareler yazılmıştı: RUHSATLI OLARAK FAS KRALLIĞINI İHRAÇ EDİLMEKTEDİR.

Beck dudaklarını ısırdı ve Afrika coğrafyasıyla ilgili bilgilerini hatırlamaya çalıştı. Haritanın üzerinden bakacak olursanız bütün ülkeler birbirlerine yakın görünürler. Afrika'nın ne kadar muazzam bir genişliğe sahip olduğu kolay unutulur. Fas ne kadar uzaktaydı?

"Tamam," dedi, kararsızdı. Muhtemelen... Ne olabilir? Dört, beş saatlik bir uçuş olacak.

Eğer burada olduğumuzu söylemezsek, yolculuğun sonunda onlar bizi bulacaklar.

Peter ona doğru gözlerini dikti, Beck'in delirmiş olduğunu düşünüyor gibiydi. "Fakat eğer onlar..."

"Biliyorum, biliyorum. Eğer onlar kaçakçıysa..." Beck cümlesini bitirmedi. Tekrardan dudaklarını ısırdı, derinlemesine düşünüyordu. "Burada bekle. Bakalım neler konuştuklarını duyabilecek miyim?"

Beck herhangi bir itiraz süresi tanımadan Peter'ın yanından ayrıldı ve onu korkusuyla baş başa bıraktı. Uçağın ön tarafında sıralanmış sandıklara doğru hızlıca sokuldu.

Uçağın sağ tarafında beklemeye devam etti. Birileri kokpitten çıkacak olursa kokpit kapısı aralarında duruyor olacaktı. Uçak hâlâ yukarı doğru tırmanıştaydı. Kokpite varmaya ramak kala uçak aniden döndü ve Beck sandıkların üstüne doğru yuvarlandı. Uçuş esnasında acil bir şey olmadığı sürece normal havayolu şirketlerinin neden koltuklarımızda oturmamızı istediklerini artık daha iyi anlayabiliyordu.

Sonra uçak tekrar doğruldu ve yukarı doğru tırmanışına devam etti. Beck, kokpit bölmesine ulaşmıştı. Ön tarafta motorlar sanki daha sessiz çalışıyordu; sesler uçağın koridoruyla beraber dışarıya taşınmıştı. Kapının alt tarafında bir ızgara ve bir havalandırma deliği bulunuyordu. Beck sadece gelen seslerin ne olduğunu kestirmeye çalışıyordu ama bir faydası olmadı.

Pilot, hava trafik kontrolüyle iletişimini sürdürüyordu. Uçuş talimatları alıyor ve izledikleri rota ile yükseklikleri hakkında raporlar veriyordu. Diğer iki adam sessizce sohbet ediyordu. Adamlardan biri bölgenin yerlisi gibi konuşuyordu diğeri Güney Afrika aksanıyla konuşuyordu. Beck bunun muhtemelen daha önce gördükleri beyaz adam olduğunu tahmin etti. Fakat ne konuştuklarını bir türlü çözemiyordu.

Beck içten içe sızlandı. Somut bir şeylere ihtiyacı vardı. Kaçakçı olup olmadıklarına dair birtakım delillere.... Sonra ayaklarının altında uçağın yönünün değiştiğini hissetti.

Nihayet dengeyi buluyorlardı. Kapının arkasında, pilotun diğer iki yolcusuyla konuşmalarını duydu. "Doğru zamanda ve doğru rotadayız, beyler. Söz verildiği gibi."

"Güzel. Bu şekilde devam et ve hayatta kal." Güney Afrikalı olan tehditkâr bir şekilde cevap verdi.

Sonra hepsi bir kez daha sessizleşti.

Beck aradaki bölme perdesine yaslandı, buz kesmişti. Vücudundaki bütün hücreler ona, bu heriflerin kötü adamlar olduğunu bağırıyordu.

Şu an aklında hiçbir şüphe yoktu. Eğer bu adamlar pilotu öldürmeye hazırlarsa onlar için neden tereddüt etsinler ki? Çabucak uçağın arkasına, Peter'a doğru ilerledi. Seçenekler kafasının içinde birbiriyle yarışıyordu. Keşfedilmeden, uçaktan çıkmak zorundaydılar. Başaramamaları öldürülecekleri anlamına geliyordu.

Bununla ilgili tek bir soru vardı aklında: Ne zaman?

BÖLÜM ALTI

Peter'ın gözleri, duyduklarına inanamayarak kocaman açıldı. Beck iyi haberi verdiği zaman her ikisi de uçağın dar tuvaletinde sıkışmışlardı.

"Atlamak mı?" diye tiz bir ses çıkardı. "Atlamak?"

Fakat ilk şokun ardından Beck, onda baskın gelen değişimi gördü. Peter cesaretini topladı ve sakinleşti. Sesi istikrarlı bir şekilde güçleniyordu. Beck, öndeki adamların neler konuştuklarını ona anlatmıştı. Peter da aynı sonuca vardı. Konuyla ilgili tartışmanın bir anlamı olmadığının farkındaydı.

"Tamam," dedi öylece. "Nasıl?"

"Paraşütler." dedi Beck, baş parmağıyla dolabın içinde asılı duran çantaları işaret etti.

"Peki, tamam ama sen daha önce hiç atladın mı?"

"Evet..." dedi Beck. Sonra fısıltı gibi bir sesle ekledi, "Sadece bir kez."

Peter ona baktı. Arkadaşına güveniyordu; Beck bunun farkındaydı. Peter onu yıllardır tanıyordu: Beck'in, daha önce balta girmemiş ormanlardan ve don tutmuş dağlardan sağ çıktığını anlatmasına gerek yoktu. Bütün bunları biliyordu.

Beck sanki birileri, kafasının içinde bulunan bir düğmeye basmış gibi hissetti ve bu onu hayatta kalma moduna sokmuştu. Ne yapacağını biliyordu; Peter'ın da yardımıyla onları bu işin içinden çıkarabilirdi.

"Elimizden geldiğince uzun süre bekleyeceğiz," dedi Beck ve anlatmaya başladı. "Tam olarak ne kadar yüksekte olduğumuzu bilmiyorum ama yine de normal bir gökyüzü dalışı irtifasından çok daha yüksekte, üstelik çok daha hızlı uçuyoruz. Yaklaşık olarak 3.650 metreden daha yüksekten atlayacak olursak, havadaki oksijenin azlığından bayılabiliriz. Fakat, eğer yolculuğun sonuna doğru atlarsak uçak daha aşağıda ve daha yavaş uçuyor olacaktır."

"Ayrıca başladığımız yerden çok daha uzakta," diye belirtti Peter.

Beck, konudan haberdar bir yüz ifadesiyle, "Evet. Fakat eğer coğrafya bilgim beni yanılmıyorsa şu anda Sahra Çölü üstünde uçuyoruz. Dünyadaki en sıcak ve en kuru yerlerden biri. Eğer çölün ortasına iniş yaparsak, neredeyse önde oturan adamlar kadar kısa sürede işimizi bitirir.

"Gerçi sen daha önce çölde bulunmuştun."

"Evet ama hazırlanmak için zamanım olmuştu. Bunu başarabilirim ama..." diye sesi kısıldı ve yan tarafında duran arkadaşına doğru baktı. Doğru kelimeler, kafasının içinde birbirine karışmıştı ve doğru düzende çıkmakta zorlanıyor gibiydiler. Söylemek istediği şöyle bir şeye benziyordu: Fazladan bir yolcu alamam. Eğer her şeyi benim yapmamı bekliyorsan, o zaman daha başlamadan ölmüşüz demektir.

"Benim de yardıma ihtiyacım oluyor." Sesi, kendi kulaklarına bile garip geldi. "Her zaman yanımda elini uzatacak ve bana bir şeyler yapmamda yardımcı olacak birisi vardı."

"Anlaştık" dedi Peter kısaca. "Ne yapabilirim?" Beck rahatlamış bir şekilde sırıttı. Peter anlamıştı. "Tamam. İlk olarak, mutfağı araştır. Git ve bizim için aşağıda kullanışlı olabilecek ne bulabilirsen getir, en küçük şeye kadar."

"Hemen bakıyorum!"

Peter kendi göreviyle ilgilenirken, Beck dikkatini paraşüt dolabına çevirdi. Asma kilitle kapatılmıştı ama kilit o kadar da güçlü değildi. Beck, mutfakta buldukları alet çantasının içindeki tornavidayı kullanarak açtı. Öndeki ilk iki paraşütü dışarı çıkardı ve uçağın sürgülü kapısının önüne bıraktı. Ardından başka neler bulabileceğini görmek için malzeme dolabına geri döndü. Beck atlayış kıyafetlerinin bulunduğu yığını araştırırken çok kötü koktuğunu fark etti. Kullanıldıktan sonra yıkanmadıkları açıkça belliydi. Neredeyse hepsinin boyutları yetişkinler içindi. Kendisi veya Peter için oldukça büyüktüler. Yine de gözlük ve ceketleri alabilirdi.

Beck malzeme dolabına tekrar kapatmak üzereyken gözüne bir şey takıldı. "Aha!" Küflenmiş keten bir çantayı dışarıya çıkardı ve yere bıraktı. İçinde gökyüzü dalışı kayıt defteri ve yarısına kadar dolu bir sigara paketinden başka hiçbir şey yoktu. Beck, çantayı ekipmanın geri kalanının yanına bıraktı.

"Nasılsın, Peter?" diye sordu.

"Fena değil... Düşünüyorum da..."

Peter kendi bulduklarını yere bıraktı. "Mutfakta çok fazla yiyecek yok ama şu vardı..." Küçük karton bir kutu çıkardı. "Uçuş yaşam paketi. Bir miktar kumanya ve..."

"Evet, bunu alıyoruz."

Sırada, üzerinde kırmızı artı işareti bulunan beyaz metal bir kutu vardı.

"İlk yardım çantası..."

"Evet."

"Ah unutmadan, bir tane de bundan..." Peter küçük bir cep bıçağı gösterdi. "Diğer çatal bıçakların hepsi plastikti bu yüzden çok yararlı olacağını sanmıyorum."

"Mükemmel!" Beck bıçağı kontrol etti; tek parça metal kısmı ahşaptan yapılmış bir el tutma yerine katlanıyordu. Bıçağın kenarı pek keskin değildi fakat hâlâ sivri bir ucu vardı. "Evet, iyi bu."

"Hmm... Bir de bunlar..." Peter, gazlı içecekle dolu şeffaf plastikten yapılmış iki adet büyük boy şişeyi Beck'e gösterdi. Beck içinde ne olduğunu görünce yüzü asıldı. Yerel bir kola markasıydı. Daha fazla susamanıza ve bir tane daha satın almak istemenize neden olacak şekilde tasarlanmış karbonatlı kimyasal bir meşrubat.

"Şişeleri kullanabiliriz," dedi. "İçlerini boşaltıp, musluktan dolduralım."

"Hepsi bu kadar mı?"

"İyi iş çıkarttın, Peter." Beck, arkadaşını yüzünde gururla parıldayan küçük bir ışık gördü.

Tornavidayı bulduğu alet çantasını hatırladı. Tekrar kontrol etmek için geri döndü. Cebine koyduğu küçük fenerden başka kullanılabilecek bir şey bulamadı.

"Hmm, acaba bunun bir yararı olur mu bilemedim..." Peter kapının yanında asılı duran bir şeyi işaret ediyordu.

Beck gözlerini devirdi. "Hadi canım! Tabii ki."

Bu bir acil durum baltasıydı.

Uçak kaza yaptığı takdirde uçaktan çıkarken yolu temizlemek için kullanılan türden bir baltaydı. Beck, baltayı yuvasından çıkardı. Atladıktan sonra ne kadar yol yürüyeceklerini bilemiyordu. Balta ağırdı ve yorgunluk arttıkça hissedilen ağırlığı daha da artacaktı. Fakat yine de kullanışlı olabilirdi.

"Tamam," dedi. "Eşyaları sırt çantasının içine yerleştirmeme yardım et sonra da seni ilk paraşüt atlayışına hazır hâle getirelim!"

"Oof!" Paraşütün ağırlığı omuzlarına bindiğinde Peter biraz sendeledi.

"Sırt çantası takmışsın gibi silkeleyerek sabitle," dedi Beck.

Peter omuzlarını hareket ettirdi ve Beck göğüs kemerini gevşetti.

"Tamam," dedi, bacaktaki kayışlara döndü. "Önemli kısma geldik..."

Ayarlanabilir bacak kemerleri paraşütün altından sallanan bir çift ilmikti.

Biraz yardımla, Peter bacaklarını ilmiklerin içinden geçirdi sonra ayakta bekledi. Beck, kayışın uçlarını uyluklarının çevresinden geçirerek sıktı ve düğümlerini kontrol etti. Sonra göğüs kemerini de ayarladı ve hepsini tekrar sıktı ve kontrol etti. Kayışları sıkarken Peter'ın küçük vücuduna göre ayarlaması gerekmişti.

"Neden bu kadar önemli?" diye sordu Peter.

Beck ona doğru sırıttı. "Bunlar seni havada tutacaklar. Bunlar olmadan paraşüt açılırsa koşum takımının içinden direkt yere çakılırsın."

"Yani," Peter'ın sesi zayıf geliyordu. "Öyleyse ilk açıldığında savrulacağız..."

"Kesinlikle."

"Iyk."

Beck, son olarak paraşütün düz olduğundan ve Peter'ın sırtına rahatça oturduğundan emin olmak için omuz askılarını da çekip kontrollerini bitirdi.

"Tamam," dedi. Peter'ın gözlerinin içine baktı. "Ne kadar yüksekte olduğumuzu bilmiyorum ama uzun süre serbest dalış hâlinde olmak istemeyiz. Saatte iki yüz kilometre hızla giderken vücudunu sabit tutmada ustalık kazanmak için birçok atlayış yapman gerekir. Bu bir hızlandırılmış kurs, serbest dalış gösterisi değil. Bu yüzden hop ve pop yapacağız. Bunun anlamı birlikte atlayacağız ve uçaktan ayrıldığımız zaman senin paraşütünü ben açacağım, tamam mı?"

Acil durum kolunu gösterdi: Sol tarafta, Peter'ın kaburgalarının hizasında, daha kalın bir kayışın üstünde duran bir açma koluydu. "Hemen sonrasında kendiminkini çekeceğim."

"Şimdi, paraşüt açıkken." Beck yumruklarını sıktı ve omuz hizasına kaldırdı, "tam buralarında bir çift yön kablosu olacak, anladın mı? Her iki yanında birer tane. Paraşütünü yönlendirmek için kullanırsın, ismine hava-kıran denir. Yukarıya doğru tıpkı bir kanat gibi açılırlar. Sola gitmek için sola çek, sağ gitmek için ise sağa çek. Tam yere inmeden önce aynı anda iki kolu da kuvvetlice aşağıya doğru çekmelisin. Bu, paraşütünü hafifçe yukarı doğru eğecektir, yani bunun anlamı seni yavaşlatacaktır. Yere yavaş ve nazik bir dokunuş yapmalısın. Anladın mı?"

"Kayışlar, sol, sağ, aynı anda her ikisi aşağıya, yavaş ve nazik bir iniş." Peter'in sesi dalgalanıyordu. "İnsanlar bunu her gün yapıyorlar, değil mi?"

"Her gün," diye teyit etti Beck. Gözlükleri ve kaskları aldı, bir seti Peter'a uzattı sonra bir adım geriye çekilerek eserine son bir göz attı. Peter'ın gözleri panik içinde etrafa bakınıyordu. Paraşüt takımı üzerinde tıpkı bir kedinin dalış kıyafeti giymesi kadar doğal dursa da işe yarayacaktı.

"Başka bir şey... daha başka..." Beck sesli düşündü.

"Hmm," dedi Peter. "Fazladan yiyecek bulabileceğimiz bir yer biliyorum."

Beck'in yüzü aydınlandı. "Harbi mi? Nerede?"

Peter kafasıyla kabinin aşağısını işaret etti. Beck, kokpite doğru şaşkın bir bakış attı. Arkadaşı ne demeye çalışıyordu ki? Pilot'un sandviçini mi çalacaklardı?

Sonra birden dank etti. "Hadi canım!" dedi ve kaşlarını çatmış Peter'ın yüzündeki gülümsemeye bakıyordu.

"Aynen öyle."

Birlikte sandığın üstündeki kapağı tekrar kaldırdılar ve sırt çantasındaki boş kalan yerleri, tonbalığı konserveleriyle doldurdular. "Bu arada mutfakta bir tane konserve açacağı vardı." Beck sormadan önce Peter söylemişti. "Hatırladım."

"Evet." Beck hızlıca onu aldı ve çantasının içine attı sonra çantanın ağzını sıkıca kapattı. "Sıra bende."

"Bu sırt çantası varken, paraşütü nasıl giyeceksin acaba..."

"Sırt çantasını bacağıma bağlayacağım. Fakat önce paraşütü giymeliyim."

"Atlamadan önce hâlâ biraz zamanımız var, değil mi?" Beck diğer paraşütü aldığı sırada Peter gergin bir şekilde sordu.

"Tabii." Beck homurdandı. Çantayı omuzlarının üstüne atınca yalpaladı. "Fakat eğer şimdi hazır olursak, bir anda atlayabiliriz. Kapıyı açtığımız zaman neler döndüğünü anlayacaklardı, bu yüzden çok hızlı hareket etmek zorunda kalacağız. Buraya gelip bana yardım etsene."

Aynı anda kokpitten keskin bir bağırma duyuldu.

"Siz de kimsiniz?"

Güney Afrikalı olandı. Hepsinin gözleri bir anlığına onlara kilitlendi ve sonrasında aynı anda üç şey yaşandı:

Adamın eli aniden ceketinin cebine uzandı.

Beck telaş içinde ilk ayak kemerini geçirmek için tek ayağını hava kaldırdı. Zıplıyordu ve bunu yaparken neredeyse düşecekti.

Sonra uçağın ön tarafından acı bir feryat sesi duyuldu.

Beck'in bacaklarından biri içerdeydi. Beck kemerinin tokasını taktığı sırada şaşkınlık içinde adama bakmak için bir an durdu. Adam eliyle yüzünü tutmuş yalpalayarak geriye doğru gidiyordu. Kan burnundan süzülüyordu. Peter özgüvenli bir şekilde, elinde ikinci balık konservesiyle adamın karşısına dikildi. Beck, çabucak, tüm dikkatini diğer bacak kemerine çevirdi.

"Niye... seni küçük..." Adamın sesi acıya boğuldu. Tekrar ceketinin içine doğru elini attı.

Beck omuz askısına bağlanmış, tabanca kılıfının içinde duran silahın kabzasını net bir şekilde gördü.

Peter, sert ve isabetli bir fırlatış daha yaptı. Doğrudan isabet ettirdiği atışlardan birini daha başarmıştı.

Beck, bir daha asla kriket için "çocuk oyunu" demeyeceğine dair ant içti. Peter, on beş yaş altı XI. kriket liginin baş top atıcısıydı ve onun atıcılık yeteneği şu an hayatlarını kurtarıyordu.

"Acele et, Beck!" Peter seslendi.

"Deniyorum..."

Diğer ayak kemeri biraz fazla dar olduğu için Beck bacağını içinden geçirmekte zorlanıyordu. Gevşetmeye çalışırken kendi etrafında zıplayıp duruyordu.

"Neler dönüyor burada?"

İkinci adamda görünmüştü. Hemen durumu anladı ve Peter ona da bir şeyler fırlatmadan önce sandığın arkasına doğru hızla eğildi. Arkadaşını da yanına çekti.

"Vazgeçin, çocuklar!" diye seslendi. "Gidecek hiçbir yeriniz yok! Size zarar vermeyeceğiz..."

Eğer diğer adam kafasını ve silahını siper aldıkları sandıkların arkasından çıkartmamış olsaydı, bu konuşma çok daha ikna edici olabilirdi. Bu sefer de Peter'ın atışı adamın silah tuttuğu ele isabet etti. Adam elini çekerken lanet okudu.

Bir başka konserve teneke yağmuru daha başladı. Adamlar fırlatılanların karşısına cesaretle çıkıp onlara ateş edebilirlerdi fakat muhtemelen uçağın içinde silahla açılmış bir delik istemiyorlardı. Yalnız her an üstlerine saldırarak, çocukları doğrudan yakalamaya karar verebilirlerdi.

"Zaman yok!" diye bağırdı Beck. Paraşütün sadece yarısı hazırdı fakat başka seçeneği yoktu. Ya şimdi gideceklerdi ya da öleceklerdi. Sürgülü kapının koluna doğru hamle yaptı ve sendeledi.

Kapı kayarak açıldı ve sanki bir kasırga uçağın içine hücum etti. Peter arkaya doğru tökezledi ve Beck'e çarptı.

Her iki adam da ayağa kalktı, dengede durmak için mücadele ederken silahlarını doğrulttular.

Beck, sırt çantasını koluna dolayacak ve Peter'ın belinden kavrayacak zamanı ancak buldu ve sırt üstü uçaktan dışarıya atladı. Gözden kaybolmuşlardı.

BÖLÜM YEDİ

Kontrol edilemez şekilde taklalar atarlarken, hava, yeryüzü ve gökyüzü etraflarında fırıl fırıl dönüyordu. Muazzam bir rüzgâr kulaklarının içinde kükredi ve Beck kör olmuş gibiydi. Gözlüğünü takacak zamanı olmamıştı. Gözlerini ne zaman açsa, şiddetli hava akımı aynı anda gözyaşlarına boğuyor sonrasında hemen gözlerini kurutuyordu.

Peter'ın çığlığı kulaklarında çınlıyordu. Peter durmaksızın çığlık atmayı sürdürdü. Beck kollarıyla hâlâ ona sarılıyordu. Sırt çantası aralarında büyük bir yer kaplıyordu. Çocuklar birbirlerine sıkıca kenetlenmiş vaziyette doğruca aşağıya düşüyorlardı. Beck sırt çantasıyla birlikte daha ağır geldiği için önden düşüyordu.

Peter'ın belinin çevresinde bir kol onu tutmaya devam ederken, Beck el yordamıyla arkadaşının paraşütünün açma ipini aradı, parmaklarıyla bulduğunu hissettiği an birden hızlıca çekti ve aynı anda güç bela Peter'ı iterek kendinden uzaklaştırdı. Önce bir kırbaç sesi, arkasından ise çatırdamalar duyuldu. Sonrasında Beck'in yüzünün tam karşısında sadece bulanık renkler ve hareketler belirdi. Birdenbire, Peter görüş alanın dışında kalmıştı.

Şimdi, Beck kendi dengesini bulmak zorundaydı. Sırtına kavisli bir şekil verdi ve kollarını genişçe iki yana açtı; rüzgâr Beck'i hızla yüzüstü çevirdi. Bu sayede doğrudan aşağıdaki dünyayı görebilir hâle geldi. Nihayet sabit bir pozisyondaydı ve her şeye rağmen sırıttı. Dışarıdan göründüğünden daha fazlasını yaşıyordu. Düşüyormuş gibi hissetmiyordu. Rüzgârın ona uyguladığı basınç sayesinde tıpkı bir yatakta öylece uzanırken vücuduna sıcak hava üfleniyormuş hissine kapıldı. Biraz daha pratik yaparak çeşitli taklalar atmaya, havada sağdan sola dönmeye, yani her çeşit akrobatik hareketi yapmaya başlamış olabilirdi.

"Bir kuşun yapabildiği her şeyi yapabilirsiniz." Eğitmeni kurstayken böyle söylemişti.

Sonra alaycı bir sırıtışla eklemişti. "Geri geri gitmek dışında."

İşte asıl olay buydu. Beck, Dünya'ya doğru yaklaşık 210 km/saat hızla düşüyordu. Kendi paraşüt ipini buldu ve asıldı.

Kulaklarındaki aynı kırbaç çatırdama seslerinden sonra bütün vücudunu ele geçiren bir kuvvet, onu aniden hızla yukarıya çekti. Kulaklarındaki rüzgârın öfkeli telaşı, nazik bir gürültüye dönüştü. Üstündeki paraşüt tamamen açılmış ve gökyüzüyle arasında bir tente gibi duruyordu. Hava basıncı tıpkı gemi yelkenlerini şişirdiği gibi kalın kanatların içine doluyordu. Tüm olanlara rağmen Afrika'nın üstünde uçuyordu; bir zafer çığlığı attı.

Yukarı baktı ve Peter'ın paraşütünü gördü. Altmış metrekare büyüklüğünde, ipekten, kırmızı ve beyaz bir paraşütle gökyüzünde süzülüyordu. Aralarındaki mesafenin şimdiden çok fazla olduğunu fark etti.

Hayatta kalmayı başarmışlardı. En azından şimdilik. Beck hâlen kollarıyla sırt çantasını sıkıca tutuyordu. Kendi paraşütünün yön belirleme koluna ulaşmak için çantayı dizlerinin arasına kıstırdı.

Geniş ve yumuşak daireler çizerek kendini yönlendirdi. Peter'la aynı anda yere inmek için önce aynı yüksekliğe ulaşana kadar kendini yavaşlatmak için iki yandaki fren kolunu aynı anda nazikçe çekmesi gerekiyordu.

Sahra Çölü ayaklarının altında uzanıyordu. Rüzgârla şekillenmiş kumdan, kayalık kanyonlardan ve platolardan oluşan bir manzaraydı. Bir ufuk çizgisinden diğer ufuk çizgisine kadar yayılan, kahverengi tonlarında gölgelerle birlikte kırışık ve yamalı bir örtü gibi görünüyordu. Manzaranın çeyreği tepelerden oluşuyordu. Geri kalanı güneşte kavrulan kayalık, kurak toprak ve tuz havzalarıydı.

Beck nerede olduklarını söyleyebilecek herhangi bir yön bulma işareti için boş boş bakındı. Herhangi bir deniz veya nehre ait bir belirti yoktu. Koyu renkli çizgiler şeklinde gördüğü yerlerden bazıları kurumuş nehir yatakları olmalıydı fakat bu işe yara bir ipucu vermiyordu. Ufukta dağlar olabilirdi, ancak o kadar uzaktaydılar ki bulanıklıktan dolayı net bir şey söylemek imkânsızdı. Tek bir yol, şehir veya köye benzeyen herhangi bir şey yoktu veya... Aslında hiçbir şey yoktu. Olayın önemi kafasına dank ettikçe neşesi gittikçe kayboldu.

Altı ay önce Kolombiya yağmur ormanlarını geçmek için arkadaşlarına liderlik etmişti. Hazırlanmak için günlerce vakti olmuştu, erzak ve malzeme stoklamışlardı ve hazır olduktan sonra bulundukları yeri terk etmişlerdi.

Birkaç ay önce, bir başka arkadaşıyla birlikte Alaska'nın iç kesimlerindeki donmuş dağları kat etmiştiler. Fakat bu yolculuk için de ellerinde uygun kıyafetler ve birtakım temel ihtiyaç malzemeleri bulunuyordu. Dahası yolda ilerledikçe yiyecek toplama imkânları olmuştu. Ayrıca kar ve buzun hüküm sürdüğü topraklarda içme suyu bulmaları o kadar da zor olmamıştı.

Sahra Çölü çok az yiyeceğe ve ondan da az su kaynağına sahipti. Bu sabah yataktan kalktıklarında giydikleri kıyafetler üstlerindeydi. Bir sırt çantasının içine atılmış ufak tefek acil durum malzemeleri dışında hiçbir şeyleri olmadan bir hiçliğin tam ortasına inmek üzereydiler.

"Beck!"

Peter onunla aynı yükseklikte ama elli metre kadar uzağında havada asılı duruyordu. Beck yön belirleyen kollardan birini çekti ve paraşütü arkadaşına doğru yöneldi. Çok fazla yaklaşmamaya özen gösteriyordu. Havada olabilecek bir çarpışma paraşütleri birbirine dolayabilir ve ikisinin de ölümüne yol açabilirdi. Beck kendi konumunu ayarladıktan sonra paraşüt şemsiyeleri arasında en az yirmi metre olacak şekilde Peter'a paralel uçuyordu.

"Nasıl hissediyorsun?" Beck arkasına seslendi.

"Ödüm patladı! Üstelik gözlüklerim çıktı!"

Beck sırıttı. Bu var olan problemlerinin en küçüğüydü. Peter'ı gözlüklerini takmayı başarmış olduğunu görebiliyordu.

"Yönlendirmeye çalış. Soldaki kolu çek." Beck karşıdan bağırdı.

"Vaay!"

Peter keskin bir şekilde ondan uzaklaşarak sol tarafına doğru yattı ve bu esnada tam bir daire çizdi. Ayrıca Beck'in daha aşağısına indi.

"Çok zor değil. Tamam. Sağ tarafa gel. Daha nazik..."

Peter, duruma biraz daha hâkim bir şekilde tekrar sağa döndü. Şimdi paraşütünün şemsiyesi Beck'in ayaklarının altındaydı. Beck, dikkatli bir şekilde kendini uzaklaştırdı. Eğitmeni iki paraşüt üst üste geldiğinde neler olacağı konusunda uyarıda bulunmuştu. Aşağıda bulunan üsttekinin hava akımına engel olur. Sonuçta üstteki büyük olasılıkla alttakinin tepesine düşer.

"Peki, şimdi ne olacak?" diye düşündü. "Karaya indik ve..."

Yeryüzüne indiklerinde ne tarafa gideceklerine karar vermek zorundaydılar. Saatine baktı. Uçakla birkaç saatlik yol almışlardı. Fas yolunun yarıdan fazlasını aştıkları anlamına geliyordu bu. Kuzeye doğru ilerlemeye devam etmek en mantıklısıydı.

Başını kaldırıp uçağa baktı, şuanda kayıp bir noktadalardı. Fas rotasında uçmaya devam ediyordu; bu onların da gitmek istedikleri yoldu, aynı doğrultuda gitmeleri mantıklı olacaktı.

"Beni takip et," diye bağırdı Beck.

Kontrol kollarını çekip paraşütünü gökyüzündeki noktaya doğru yönlendirdi. "Bu yöne doğru gideceğiz."

Yere inmeleri yaklaşık olarak beş dakikalarını daha almıştı. Beck, ne kadar mesafe aldıklarını bilmiyordu ama en azından doğru istikamette seyahat etmişlerdi. Aşağıya indikçe artan sıcaklığı daha fazla hissediyordu.

Aşağı doğru süzülürken, yeryüzündeki şeylerin giderek büyüdüğünü son ana kadar, her şey gerçek boyutuna dönene kadar, fark etmiyor oluşumuz çok tuhaf. Küçük bir tepecik Beck'in ayaklarının altında şaha kalktı. Tüm görüş açısını kaplayana kadar yükselmesi bir dakika sürdü. Beck iki kolu da aşağıya çekti. Paraşüt hafifçe yukarı eğildi ve yere inmeden önce yavaşlayabildi.

Sırt çantasını kavradı ve ayakları yere değmeden bir an önce havadayken koşmaya başladı. Paraşütçü birliğindeki bir asker bundan daha iyisini yapamazdı diye düşündü. Yere inmişti.

Çevresine bakındı. Hava kuru, araziyse ıssızdı. Kavrulmuş yeryüzü, kayalar ve neredeyse dokunulmayacak derecede sıcak olan kum... Beck "çöl" tanımının, yılda yirmi beş santimetreden daha az yağış alan yerler için kullanıldığını duymuştu. Burası kesinlikle bu açıklamayla birebir örtüşüyordu.

"Ah-h-h-h..."

Peter başının üstünden geçti ve tepenin diğer tarafında kayboldu. Beck nasıl yavaşlayacağını söylemişti fakat Peter'ın bunu hatırladığından emin değildi. Yeryüzüne çakılmak fikri, tüm eğitiminizi unutmanıza sebep olabiliyordu. Beck önceki deneyimlerinden de bunu gayet iyi biliyordu.

Paraşütle beraber yerde sürüklenmemek için fren kolunu çekti.

Sonra Peter'a bu ufak püf noktasından bahsetmemiş olduğunu hatırladığı için kendine kızdı. Koşumlarını serbest bıraktı ve telaş içerisinde tepeyi aşarken kızgın kumun ayaklarının altında yer değiştirip kıvrılıp büküldüğünü hissetti.

Peter yerdeydi; arkasındaki paraşütünün şemsiyesi dev, parlak çizgili bir hayvan gibi yukarıda dalgalanıyordu. Ayakta durmak için mücadele etti ama paraşüt onu ön tarafından çekti ve yerde sürükledi. Beck aceleyle peşinden gitti. Peter tekrar ayaklarının üstünde durmak için çabalamaya etti ama bir kuvvet tarafından sürekli öne doğru çekiliyordu.

Paraşüt şemsiyesi bir kayanın üstünde bulunan çelimsiz çalılara takıldı. Dikenli dallar şemsiyeyi delmişti fakat paraşüt özgür kalmak için çabalarken hâlen rüzgârla dalgalanıyordu.

Peter yerde uzanıyordu, hâlâ biraz sersemdi ve koşumundaki tokayı el yordamıyla aradı. Beck ona yetişip elini uzattığı sırada kayışlarından kurtulmuştu.

Beck arkadaşının ayağa kalkmasına yardım ederken bakışlarının donuklaştığını fark etti ve sıcak yüzünden şimdiden terliyordu. Güneşin bastırması ve rüzgârın sesi birleşince sanki birileri önlerinde dev bir saç kurutma makinesi tutuyormuş gibi hissettiriyordu. Beck ayakkabılarının tabanlarında kumun sıcaklığını hissedebiliyordu.

Durum değerlendirmesi yaptı: yüzlerce kilometre çevrede bulunan tek insanlar kendileriydi belki de. Eğer bütün bilgilerini sonuna kadar kullanmazsa, dehidrasyon (sıvı kaybı) ve güneş yanığı onları bir kaçakçının kurşunları kadar kolayca öldürebilirdi. Sadece biraz daha uzun sürerdi.

Gündüz sırasındaki hava sıcaklığı elli beş Santigrat dereceye kadar tırmanabiliyordu. Güneş çarpması vakalarında bir insanın öz vücut sıcaklığı sadece 3,5 derece yükselir; bu da seri kramplara, bitkinliğe ve eninde sonunda ölüme neden olur.

Geceleyin açık gökyüzünün altında sıcaklık düşerken kolaylıkla hipotermi geçirebilirdiniz.

Çölün imkânsızlıklarla dolu dünyası böyle bir şeydi.

Beck arkadaşına doğru sırıttı, keyifsizce dişlerini gösteriyordu.

"Sahra Çölü'ne hoş geldiniz!"

BÖLÜM SEKİZ

"Güneş ışığından uzak durmamız lazım." Beck kesin konuşmuştu.

Peter parlaklığın içinde gözlerini kısarak çevresine bakındı. Gözlerinin alabildiğince kum ve çelimsiz bodur bitkilerin haricinde hiçbir şey yoktu çevrede: dayanıklı otlar veya çalılardan oluşan küçük kümeler. Yakınlarında yetişkin bir adamla aynı boyda olan yapraksız, dikenli bir ağaç vardı.

"Evet, Sanırım şurada güzel bir ev gördüm," dedi.

"Barınaklarımızı yanımızda getirdik." Beck elinde tuttuğu sırt çantasını yere koydu. İçindeki çakıyı bulduktan sonra çalılara takılan paraşüte doğru yöneldi. "Paraşütü benim için tutar mısın?"

Peter gergin paraşüt şemsiyesini tuttu ve Beck bıçağını kullanarak paraşütün üst kısmından iki uzun şerit kesti. Yaklaşık olarak iki metre uzunluğunda ve yarım metre genişliğindeydiler. Düzgün bir kesim olmamıştı. Şemsiye kumaşı naylondandı ve bıçağın ucu kör olduğu için Beck'in kestiği kenarlar saçaklanmıştı. Yine de iş görür hâldeydi.

"Tıpkı bir başörtüsü gibi başının etrafına sar."

Bir parçayı Peter'a uzattı ve diğeriyle de uygulamalı olarak gösterdi. Kendi parçası başının etrafında iki tur attıktan sonra yüzünü de sardı artık sadece gözleri görünüyordu. Boşta kalan uçlarını gömleğinin yakasına sıkıştırdı.

"Başını mümkün olduğunca koruman gerekiyor; eğer beynin kızarırsa, ölürsün. Ayrıca burnundan nefes almaya çalış, ağzından değil. Ağızdan nefes almak içindeki tüm nemi kurutur."

"Haklısın." Peter kendi kumaşını Beck'ten gelen az bir yardımla birlikte başının etrafına sardı.

İşi bitince sadece gözleri görünecek şekilde geriye kalan dar boşluktan çevreye bakınıyordu. "Sırada ne var?"

"Bu tarafa doğru," dedi Beck. Baltayı aldı ve daha önce görmüş olduğu dikenli ağacın yanına gitti.

Tıpkı çılgın bir orkestra şefinin kollarıyla aynı anda birden fazla yönü işaret etmesi gibi ağacın her bir dalları da farklı yönleri işaret ediyordu. Beck yaklaşık bir buçuk metre uzunluğunda ve kendi kolundan daha kalın olmayan bir çift yapraksız dal seçti. Her parçanın üstündeki küçük dalları kesip, ince çıkıntıları kazıdıktan sonra baltasını dalın gövdeyle buluştuğu yere doğru salladı. İki dalı da keserek tamamen serbest bırakması ve sırayla kumun üstüne düşmeleri beş dakikasını aldı.

Sonra, Peter dalları dik tutarken Beck de baltanın yassı tarafıyla aralarında iki metre olacak şekilde onları toprağa çaktı. Çocuklar, dalların çengel şeklindeki uçları omuz seviyelerinde kalacak şekilde bıraktılar.

Biri diğerinden biraz daha uzundu.

Beck dikkatini paraşüt şemsiyesine geri çevirdi. "Şimdi kumaşı tekrar sabit tutalım..." Paraşüt iki tabakadan oluşuyordu, üst ve alt yüzeylerin arasında kalan kısımda içleri boş gözler vardı. Paraşüt hareket halindeyken bu gözler havayla doluyor ve paraşüte şeklini veriyordu. Beck'in amacına ulaşması için elinde bolca kumaş vardı.

Beck'in kestiği kısım yaklaşık beş metre uzunluğunda ve üç metre genişliğindeydi. Daha sonra bıçağını kullanarak uzun olan kısımda bir çift delik açtı ve yere çakılı değneklere üstten on santimetre kalacak şekilde bağlamak için paraşüt iplerini kullandı. İpler sağlam, iç içe geçmiş naylon tellerden yapılmıştı, gergin ve esnekti. Beck bunu binlerce farklı şekilde kullanabileceğini düşündü. Şimdi direklerin her iki ucundan iplerle asılmış paraşüt kumaşı, iki direğin ortasından sarkıyordu.

Beck, çadır mandalı işlevi görmesi için kısa bir çift odun parçası kesti ve yere kadar inen uzun kısmı desteklemek için kullandı. Hiç yoktan küçük kama şeklinde bir çadıra sahip olmuşlardı. "Giriş yönü kuzeye bakıyor, güneşten öte tarafa" diye ekledi Beck.

"Hey, içerdeyim!" Peter hevesli bir şekilde seslendi ama Beck onu geri çekti.

"Henüz hazır değil. Bana yardım etsene..."

Paraşütün yanına geri döndüler ve Beck bir parça daha kumaş kesmeye başladı.

"Baksana, doğrudan güneş ışıklarını geçiriyor hâlâ," dedi, başıyla çadırı işaret ederek. Paraşüt kumaşı ince ve açık renkliydi. Çadır, arkasındaki güneşin yaydığı ışıkla parlıyordu. "Pek sığınağa benzediği söylenemez. Fakat şimdilik..."

Yeni kestikleri ipek parçasını sığınaklarına götürdüler ve aynı işlemi tekrar uyguladılar. Beck bu kez direklerin tepesine yakın bir yerden ipleri bağladı, o sırada Peter da aşağıya sarkan kenarlara destek veriyordu.

Şimdi çadır aralarında yaklaşık on santimetre olan iki tabakaya sahipti. Esintilerin sığınağa girmesine ve iç kısmın gölgede kalmasına izin veren sığınağın iki ucu katlanarak açılabiliyordu.

"Ve şimdi," dedi Beck, "efendim, odanıza çekilebilirsiniz."

Peter dikkatlice içeri girdi. Kafasını eğdi, birkaç tane dal ve taş bularak uzanmak istediği yere doğru süpürdü. Sonra kumun üzerine uzandı ve yüksek sesle nefesini bıraktı.

Beck hemen yanına uzandı ve bir dirseğinin üzerine dayandı. İpek tabakalara doğru bir göz attı. Hâlâ hafiften şeffaftı ancak içerisi, şu anda yakınlarındaki her yerden daha az parlaktı. Esas bütün farkı ikinci katman yaratmıştı. Hatta Peter'ın muhtemelen fark etmiş olduğundan çok daha büyük bir fark yaratmıştı.

Beck, "Bedeviler çadırlarını bu şekilde yapıyorlar" diye açıkladı. "İki katmanlı, hava aralarından geçebilir ve bu da ısıyı dışarıya sürükler."

"Yine de sıcak. Bir bardak suyu kaynatabilirsin burada."

"Evet ama normalde olması gerektiği kadar sıcak değil." Beck çadırın gölgesinden bir metre ötesindeki parlak güneş ışıklarını başıyla işaret etti.

"Dışarıda yaklaşık... hmm, yüz yirmi."

"*Ne? Bu suyun kaynama sıcaklığından daha fazla!*"

"Fahrenayt."

"Ha. Bildiğimiz derecede kaç oluyor?"

Beck biraz düşündü. "Yaklaşık elli derece. Yani suyun kaynama derecesinin yarısı kadar. Fakat burada, gölgedeyken, çok daha serin."

"Büyük başarı." Peter bir dakika sonra yorumladı. "Çadır. Bedevilerin adeti demiştin."

"Evet, binlerce yıldır çöllerde yaşadıklarından dolayı bununla ilgili bir epey şey biliyorlar. Çöl insanlarının neden uzun ve dökümlü kıyafetler giydiklerini hiç merak ettin mi?"

"Henüz tişörtü icat etmedikleri için mi?"

Peter'ın cansız sesinden gerçekten bunu düşünmediği açıkça belli oluyordu.

Beck sırıttı ve kafasını salladı. "Çadır ile aynı prensip. Kıyafetlerin arasındaki hava katmanı onları serinletmek için yardımcı oluyor ve güneşi uzak tutmak için örtünmeye ihtiyaçları var. Belki bu şekilde tam olarak onlarla birebir uyuşmuyoruz ama yine de çıplak tenimizi koruyabiliriz. Rüzgâr tıpkı bir saç kurutma makinası gibi üflüyor. Terliyorsun ve sen fark etmeden kuruyorsun. Böylece daha fazla terliyorsun ve tekrar kuruyorsun. Kaşla göz arasında tamamen susuz kalıyorsun. Üstelik aynı zamanda iyisinden bir doz güneş yanığın olur. Bu yüzden gündüzleri güneşten uzak durmamız gerekiyor ve geceleri sıcak kalmak için kalın giyinmeliyiz."

Peter doğruldu. Önce Beck'e baktı, sonra da kendine. En azından uzun, bol pantolon giymişti ve uzun kollu gömleği vardı. Güneş yanığına karşı korunaklıydı. Beck'in ise üstünde bir tişörtü ve dizleriyle ayak bilekleri arasında kalan uzun bir şortu vardı.

Havuz kenarında dinlenmek için idealdi. Çölde hayatta kalmak için mükemmel değildi.

"Peki nereden bulabiliriz?" Sonra Peter aklından kendi sorusunu cevapladı. "Ah. Tabi ya."

Başını salladı. Onların iki paraşütü vardı; muhtemelen ihtiyaç duyabilecekleri ekstra malzemelerin hepsini bunlardan temin edebilirlerdi. Düşünceli görünüyordu. "Başka ne yapmamız gerekiyor? Bana şu an her şeyi anlatsan iyi olur." Bağdaş kurarak oturdu. Dikkatini vermiş bekliyordu.

"Peki." Beck olduğu yerden doğruldu ve yüz yüze gelecek şekilde Peter'in karşısına oturdu. Aklı paraşütle aşağıya inmeye çalıştıkları zamana gitti. "Fas yolunun yarısından biraz fazlasını geçtik, bu yüzden kuzeye doğru yöneleceğiz. Hiçbir fikrim yok, yani nerede olduğumuza dair hiçbir fikrim yok. Daha doğrusu hangi ülkede olduğumuzu bilmiyorum."

"Muhtemelen Moritanya'nın kuzeyi veya Cezayir'in batısındayız." Peter umulmadık bir şekilde araya girdi. Beck etkilenmiş görünüyordu.

"Kuzey Afrika hakkında yaptığım coğrafya projesinden biliyorum, çok yüksek notlar almıştım," diye açıkladı arkadaşı.

"Tamam. Zaten nerede olursak olalım eğer kuzeye doğru ilerlersek Fas'a ulaşacağız... Eninde sonunda. Eğer o kadar uzun süre hayatta kalabilirsek tabii."

"Elbette. Mantıklı." Peter parmağıyla kumun üstünde tembelce daireler çiziyordu. "Ayrıca şunu da bildiğimi söylemeliyim, güneyden Fas'a doğru yürürsek eninde sonunda Atlas Dağları'yla karşılaşacağız. İnsanlarla karşılaşmak için sahip olduğumuz en iyi ihtimal bu."

Beck paraşütünü açtıktan sonra uzaklarda gördüğü dağları hatırladı. Atlas Sıra Dağları'nın başladığı yer olmasını ümit etti. "Fakat şimdilik güneşin batmasını beklemeliyiz."

"Tamamdır." Peter onaylıyor görünüyordu. Beck, uçağın arkasındayken Peter'ın sergilediği aynı soğukkanlı güven duygusunu gösterdiğini fark etti. Peter zor koşullarda hayatta kalma konusunda hiçbir şey bilmiyordu ve Beck bu görevi yüklendiğinin farkındaydı. Peter sakince kendisini onun kollarına bırakıyordu.

Beck eğer Peter'a güvenmek zorunda kalacaksa, arkadaşının iyi bildiği bir şeyler olmasını ümit etti; mesela fotoğrafçılık veya coğrafya. Böyle bir durumda, o da karşılık olarak aynı güveni duymuş olurdu.

"Ve elimizden geldiğince," diye devam etti, "gündüzleri dinlenerek, geceleri yolculuk ederek geçireceğiz. Seni uyarmak zorundayım, çöl geceleri çok soğuk olabiliyor ama yine de ilerlemeye devam edeceğiz. Şayet gerekirse kendimizi paraşüt kumaşıyla sarabiliriz. Pek rahat olmayacaktır ancak gündüz vakti dışarıda beyinlerimizin kızartma olmasından çok daha konforlu olacaktır.

"Bir şey diyecektim, Beck..." Peter kumda daireler çizmeye geri döndü. Aslında dile getirmek istemediği, sıkıntılı bir konu hakkında konuşacağının sinyalini verdiği açıktı. Sonra kafasını kaldırdı ve Beck'in gözlerinin içine baktı. "Yemek ve su olayını ne yapacağız?"

"Acıkınca ve susayınca, yer içeriz." Beck kolayca cevapladı. Peter o kadar şaşırmıştı ki gülmesine engel olamadı. "Tam olarak öyle değil.

Ne var ki çok kısıtlı sayıda erzağımız olacak. Eğer sık aralıklarla azar azar yersek, birkaç saatte bir ana yemek yemişiz gibi iyi olur. Ayrıca eğer çok yersek, vücudun su kullanımı da artar. Her neyse, bir insan haftalarca yemeksiz yaşayabilir... Fakat burada su olmadan ancak yirmi dört saat civarı hayatta kalabiliriz."

"Yani günlük kaç litre suya ihtiyacımız var?" diye sordu Peter.

"Şayet gölgede dinleniyorsak, dört. Hareket ediyorsak, on üç" dedi özetle Beck. "Bu çok fazla miktarda su."

Peter araya girdi: "Pekâlâ, birkaç şişe suyumuz var ve aldığımız bu konservelerin içinde artık ne varsa onlar. Yani neden bu kadar merak ettiğimi anlayabiliyorsun değil mi?"

"Çölde su var," dedi Beck. "Hatta burada bile. Baksana. Bitki yetişiyor."

Sığınağın dışını işaret etti ve Peter göz atmak için ileriye doğru eğildi.

"Tamam," dedi. Sesi şaşkın geliyordu. "Yani su var. Az da olsa."

"Az da olsa var," diye onayladı Beck. "Susayacağız ancak eğer akıllı davranırsak bu yüzden ölmeyiz."

"Bana uyar. Kuzey hangi yönde?"

Beck su konusunu konuşmaktan kurtulduğu için memnun olmuştu. Peter söylemiş olduğu her şeyde kesinlikle haklıydı. Su vardı ve onu nasıl bulacağını biliyordu. Fakat bulunması gereken şey çok az miktardaydı. Onu ararken zamanınızı kolaylıkla boşa harcayabilirdiniz ve kendinizi öncesinden daha susuz bir hâlde bulurdunuz.

"Burası, Peter. Eğer gündüz vakti yol alıyorsak, yön bulmak için saatini kullanabilirsin. Bak, saatini yatay tut..."

"Tamam." Peter bileğini göz seviyesine kaldırdı.

Beck kuzeyi bulmak için saatin akrebini ve güneşi nasıl kullanacağını açıklamaya devam etti.

Peter etkilenmişti. "Havalıymış." Saatini inceledi. Bir an düşündü ve çevresinde tekrar döndü.

Direkt olarak sığınağı işaret etti. "Bu taraf kuzey."

"Harika." Beck gülüyordu.

"Pete, dostum senin saatin dijital!" diye bağırdı.

Peter masumca ona doğru baktı. "Evet öyle ama eğer saatin kaç olduğunu öğrenirsem, akrebin nerede olduğunu bilebilirim, değil mi? Saat taktığım kolumda bir analog saatin görüntüsünü hayal edebilirim ve hayali bir akrebi güneşe doğrulturum."

Beck sessizce ona doğru baktı ve Peter sırıttı. Ardından ikisi birden kahkahalara boğuldular.

"Biliyor musun, bunu daha önce hiç akıl edememiştim."

"Keşke bir GPS'imiz olsaydı..." Peter hüzünlü bir sesle söyledi.

"Hmm." Beck GPS ile olan daha önceki iki karşılaşmasını düşündü. "En son seferde onlardan birini kullanmak istediğimde pilleri tükendi ve ondan önce de bir tanesini kazara denizin içine düşürdüm."

Konuyu değiştirdi. "Ne kadar açsın?" diye sordu Peter'a.

Arkadaşı düşünceli görünüyordu. "Hmm. Pek değil. Sağlam bir kahvaltı yapmıştım."

"Tamam. Günün geri kalanında dinlenmeye çalışacağız. Sonrasında bu gece yola çıkmadan önceden bir şeyler yeriz."

"Patron sensin." Peter hâlinden memnun bir şekilde söyledi ve elleri kafasının arkasında geriye doğru kumun üstüne uzandı. Bir süre sonra gözleri kapandı. Rüzgâr buruşuk kumaşın arasında yumuşak bir ses çıkartarak geçiyordu. İçerideki kum soğumuştu ve havada hoş bir sıcaklık vardı. Sığınağın içinde olmak keyifliydi. Muhtemel çölün tamamında sadece bu iki metrekarelik alanda olmak keyifliydi ama en azından buna sahiptiler.

Beck de geriye doğru uzandı. Aklı tamamen önlerinde onları nelerin beklediği ile ilgili düşüncelerle doluydu ve uykuya dalması çok daha fazla zaman aldı.

Peter'ın iyiliği için olabildiğince olumlu bir yüz ifadesi takınmıştı. Kalahari Çölü ve Orta Avustralya'da hayatta kalmıştı.

Aynı şeyi burada da yapabilirdi. Ancak diğer keşif gezilerinin öncesinde birçok planlama yapılmış ve yolculuk kendisine yardım edecek uzmanlarla birlikte gerçekleşmişti. Buysa tamamen plansızdı ve buradaki tek uzman kişi *kendisiydi.*

Kuzeye doğru ilerleyebilirlerdi. Bu kısmı zor değildi. Fakat Beck, ikisini de asla kaçamayacakları dev bir fırına yönlendirebileceğinin farkındaydı.

BÖLÜM DOKUZ

Uyumak, söylemesi gerçekleştirmekten daha kolay bir eylemdi. Her ikisi de çok az kestirdiler fakat hepsi bu. Güneş onları kızartmak için sahip olduğu şanstan gönülsüzce vazgeçiyormuş gibi batıyordu. Sığınağın gölgesi ağır ağır çevrelerindeki yerini değiştiriyordu.

Peter dizlerine sarılarak oturdu ve yüzünde bir kasvetle dışarıdaki çöle baktı. Kendi küçük dünyasının içinde kaybolmuş gibi görünüyordu. Beck kafasından ne düşünceler geçtiğini bilmiyordu ama bunun moralini bozmasına izin veremezdi.

"Tamam," dedi aniden. Peter yerinden zıpladı. "İşe koyulalım!"

Yapılması gereken hazırlıklar vardı. Beck kendisinin ve Peter'ın ihtiyaçlarını enine boyuna düşünmüştü. Çıplak tenlerini korumak zorundaydılar; kollarını, bacaklarını, başlarının tamamını. Çölün içinde en temel koruyucu giysiydi. İdeal olan her ikisinin de Peter gibi bol ve uzun pantolon ve gömlek giymesiydi. Gündüzleri, havanının vücutlarının çevresinde dolaşmasını sağlayacaktı fakat bu sırada terlerinin buharlaşmasına engel olacaktı. Gece boyunca ise sıcak kalmalarına yardımcı olacaktı.

Fakat Beck bu şekilde giyinmemişti ve şu an öyle olmasını dilemenin bir anlamı yoktu. Böylece Peter'ın yardımıyla paraşütten başka bir kumaş parçası daha kesti ve birkaç tane de naylon iplik çıkardı. Bu sefer kumaşı kenarları yaklaşık yarım metre olacak kareler hâlinde böldü. Ardından zıt kenarlar boyunca delikler açtı ve daha fazla ip geçirdi. Sonunda her kare parçasını bir bacağının etrafını saracak şekilde ip kullanarak dizinin hemen üstünden ve ayak bileğinin üstünden bağladı. Artık yere kadar uzanan tozluklara sahipti.

"Armani görse kıskançlıktan çatlardı." Peter gördüğü zaman ilk yorumu bu oldu.

Beck sırıttı. "Şimdi her ikimizin vücudunun üst kısmını saracak birkaç şey yapacağız. Rüzgârdan daha iyi korunmamızı sağlayacak ve geceleyin bizi sıcak tutacaklar."

"Iyy!"

Peter aniden sarsıldı. Sığınakta ayağa kalkılamayacağını hatırlamadan önce çoktan ayaklarının üstünde telaşla zıplıyordu. Bu durumu neredeyse Beck'in kucağına atlayarak sonlandırdı.

"Neler oluyor?" diye başladı Beck.

"Örümcek! Büyük bir tane!"

Beck arkadaşının az önce oturduğu yere baktı.

Örümcek yaklaşık beş santimetre çapında, uzun, kavisli ve kıllı bacaklara sahipti. Çadırın içinde biraz uzak bir köşedeydi. Bacakları kum sarısı rengindeydi, vücudu daha koyu renk ve kabarıktı. Diş yerine bir çift kıskaç vardı.

"O- O aniden içeriye girdi..." Peter kekeledi.

Beck düşünceli bir şekilde ona baktı. Bıçağına dikkatlice uzandı ve üstüne doğru saldırdı. Örümceğin kafasına bastırdıkça vücudu seğirdi. Uyguladığı basınç onu kumun içine doğru itiyordu. Beck bıçağıyla kafasını kesip geldiği yöne doğru savurdu. Bir bacağından tutarak cesedini havaya kaldırdı.

"Bu bir deve örümceği," diye Peter'a açıkladı. "Zehirli değildir. Yine de ısırdığı yerde ciddi bir yara oluşturabilir. Saatte on beş kilometreden daha hızlı bir şekilde yer değiştirebilirler... Fakat genellikle bunu gölge bir yer bulmak için yaparlar. Sadece güneşten kurtulmak istemişti. Gölgede olmak isteyen tek canlı sen değilsin, unutulmaması gereken bir bilgi bu. Hatta gölge bir yer olmadan yılanlar birkaç saat için ölürler. Şayet gölge ve kuytu yer bulursan veya bir taşı ya da herhangi bir şeyi kaldırırsan, senden önce orada bir şeylerin olması durumuna karşı dikkatli olmalısın."

"Hatırlayacağım." Peter kendi kendine söz verdi.

"Bilirsin, çölde eğer bir şeyler zehirliyse, gerçekten de zehirlidir. O kadar az yiyecek var ki avının kaçıp kurtulmasına şans tanımazlar. Sadece bir sıyrığın bile avını alt edeceğinden emin olmak isterler."

"Bahçemizin alt kısımlarında ısırgan otlarımız var." Peter sohbet tonunda söyledi. "Bir evde bulunabilecek en zehirli şey." Sözü yarım kaldı ve Beck örümceğin cesedini ona sunarken yüzünün rengi soldu.

"Bir diş ister misin?"

"Hiç sanmam, asla."

"Peki." Beck bunu yapmak istemiyordu fakat bu noktada yapmak zorundaydı. Örümceğin cesedini ağzına attı ve bir çatırtı sesi geldi. Dilinin üstünde sıcak bir sıvı yayıldı birden. İç organları vıcık vıcık dişlerinin arasından akıyordu tıpkı az önce bir lokma sümüklü böceği ağzına atmış ve öne arkaya çiğniyor gibiydi. Çiğnedikçe tadı kötüleşiyordu. Örümceğin bağırsaklarının dışarıya akmasını durdurmak için dudaklarını sıkıştırmak zorunda kaldı. Bacakları dilinin üstüne sürtünen bir çalı gibi hissettiriyordu. Yuttuğu zaman boğazından geçtiği bütün yolu hissedebiliyordu.

Yine de artık otuz saniye öncesine göre biraz daha iyi beslenmiş durumdaydı. Peter'a döndü ve ciddi bir tonda konuştu.

"Gölge hakkında söylediğim şeyler öğrenmen gereken ikinci dersti. Birincisi, burada hayatta kalmak. Yaşamak için sadece tek canımız var çünkü bir kere ölürsen, sonsuza kadar ölüsündür. Yaşamak için ikimiz de konforlu bölgemizden bir adım dışarı çıkmak zorundayız. Aslında bir adım az olur. Uzun adımlarla koşmalıyız. Artık normal yaşantılarımızdan çok ama çok farklı bir coğrafyadayız ve asla geriye bakamayız. Her ne yaparsak yapalım, yani ne olursa olsun, bu bizi hayatta tutmak için olacak. Anladın mı?"

Peter duygularını gizlemek için dudaklarını ısırdı. "Anlaşıldı" dedi sessizce.

"Sen iyi bir dostsun Peter, benim en iyi dostumsun. Bunu birlikte atlatacağız, tamam mı?"

"Emin olabilirsin Beck. Teşekkürler."

Beck'in gözleri ani bir hareket yakaladı. Bir kum böceği barınaklarının gölgesine doğru yol alıyordu. Yaklaşık üç santimetre uzunluğunda, siyaha çalan koyu gri bir rengi vardı. Bütün böceklerde olduğu gibi birazcık yolunu kaybetmiş gibi görünüyordu. Nereye gittiğiyle ilgili pek fikri yoktu, sadece bir yerlere doğru gidiyordu.

Beck iki parmağının arasında tutarak böceği kaldırdı ve şaşkınlıktan gözleri fal taşı gibi açılan Peter'a doğru uzattı.

Arkadaşı böceğe herhangi bir heyecan duymadan bakıyordu. "Bunu yapabileceğimi göstermek için ufak bir test galiba, değil mi?"

Ellerini birleştirerek avuç içlerini açtı. Beck böceği içine bıraktı. Peter mutsuz bir şekilde böceğe baktı sonra gözlerini kapadı ve ellerini ağzına götürdü.

"Aman-Allah'ım-Bu-Hayatımdaki-En-İğrenç-Şey" diye bir şeyler geveledi. Düşünceli bir ifadeyle yüzünü buruşturdu. "Çoğunlukla kum. Bir parça eski çorap. Bir parça da... şey. Tuzlu."

"Tuzlu mu? Mükemmel. Terlediğimiz zaman fazla miktarda tuz da kaybediyor olacağız. İleride bunlardan bol bol yemeye özen gösterelim."

Peter böceği yuttu. "Sabırsızlanıyorum..."

"Aynen ben de. Hadi işimize geri dönelim."

Bir kere işin püf noktasını kavradıktan sonra kumaştan kıyafet yapmak çok fazla zaman almıyordu. Beck gerindi sonra sığınağın dışına göz attı. Güneş neredeyse kum tepeleriyle aynı yükseklikteydi. Gökyüzü ufuk çizgisi boyunca uzanan turuncu bir ışıkla parlıyordu.

"Vay!" Peter nefes aldı.

"Evet," dedi tekrar Beck. Neredeyse sevgi dolu bir ifadeyle güneşe baktı. Dana önceki parlaklığı gözlerinizi yaktığı için güneşe bakamamışlardı. Fakat şimdi çok daha güvenli gözüken turuncu bir top şeklini almıştı. Bu saatler güzel bir manzara için çok elverişliydi.

"Çölde mükemmel gün batımları yakalayacağımızdan emin oldum," diye yorumladı Peter.

"Havada toz toprak yüzünden. Işığı kırıyor, bu yüzden sadece kırmızı dalga boyları bize ulaşıyor."

Beck yan tarafındaki arkadaşına göz ucuyla baktı ve omuzlarını dikleştirdi. "Babam bunu bana çocukken anlatırdı," diye sessizce ekledi. Sonra öne doğru ilerledi ve ekledi. "Gitme zamanı. Sığınağı toplamama yardım eder misin?"

Beck bunun çok pratik bir çadır olduğunu düşündü. İkisinden birinin hiç fark etmeden taşıyabileceği iki parça kumaş halinde katlanabiliyordu. İki paraşüte doğru dalgın bir şekilde baktı. Bunları kullanabileceği çok yer olduğundan emindi, fakat ağırdılar. Çok fazla kumaş vardı. İçine sinmesi için taşıyabildiği kadar paraşüt kordonu ve bir paraşütün komple üst kısmını kesip çıkardı. Sonra düşünceli bir şekilde paraşütü açmak için kullanılan kordona baktı; kabloya bağlı metal bir kol. Kablo birbirine sarılmış birkaç telden yapılmıştı. Teller kapan yapmak için iyi olabilirlerdi.

Bu yüzden kabloyu kesip yuvasından ayırdı ve paraşüt ipiyle birlikte katladı. Paraşütü taşıyan dış kısmı tekrar bağlarlarsa, bir çeşit sırt çantası olarak kullanılabilirdi.

Beck'in yaptığın son şey, paraşütten geriye kalan kumaşı kumun üstüne yayarken Peter'dan yardım istemek oldu. "Taşları kullanarak iyice sabitle" dedi arkadaşına. "Rüzgârın onu uçurmasını istemiyorum. Eğer herhangi bir uçak üstünden geçerse, bu işareti fark edip birilerinin burada kaybolduğunun anlayabilirler."

Sonra Beck biraz daha fazladan taşla ok şeklinde bir işaret yaptı. "Bu işareti fark eden herhangi biri hangi yöne gittiğimizi de anlayacaktır. Tamam, hadi gidiyoruz."

İki çocuk hayatlarının yolculuğuna çıktılar.

Güneş artık kum tepeciklerinin altındaydı, buna rağmen hâlâ etrafı görmek için çok fazla ışık vardı. Aralıksız bir saatlik yürüyüşten sonra uçaktan almış oldukları acil durum kumanyasını açtılar.

İçinde kurutulmuş yulaf ve meyvelerin birlikte sıkıştırılmasıyla oluşan altı adet tablet vardı.

"Her öğün birer tane yiyeceğiz, diğer payımızı gece ve sonuncuyu da gündüz yiyeceğiz," diye karar aldı Beck. "Bunlar bittikten sonra ton balığı konservelerine ve çöldeki yiyeceklere bakarız."

Alacakaranlıkta otururlarken Peter hüzünle ellerindeki tabletlere baktı. "Sabahki muhteşem kahvaltı ne kadar da uzak şimdi," diye yorum yaptı.

"Bir tane şimdi ve diğer porsiyon gece," diye tekrarladı Beck.

"Patron sensin."

Yemeklerini yedikten sonra kalan paketleri çantalarına koydular. Peter paraşütten sırt çantasını taşıyordu; Beck'de de içinde erzaklar bulunan sırt çantası vardı.

"Peter saatinin alarmını kurabilir misin? Her otuz dakikada bir çalacak şekilde?" dedi Beck. Tekrar yola koyulmuşlardı.

"Tabii." Peter alarmı kurarken saatinden bipliyordu. "Neden peki?"

"Meksika'da Tarahumaralar isminde bir kabile vardı" diye başladı Beck. "Chihuahuan Çölü'nde yaşıyorlar..."

Peter kıs kıs güldü. "Chihuahuan Çölü mü? Tam olarak Pikaçu Ovası ve Küçük Yupi Dağlarının hemen yanındaki mi?"

"Biliyorum. Bana da komik geliyor bu isim." Beck yüzünde bir gülümsemeyle söyledi ama yüzüne sarmış olduğu şalın ötesini Peter göremiyordu. "Tarahumaralar suyu taşırken bir ağız dolusu alıp yutmadan ağızlarında tutarlar. Burunlarından nefes alıp verirler. Su vücutlarının içine yavaşça süzülür ve bu su yuttukları zamandan çok daha uzun süre onları idare eder. Bunu yapmayı deneyeceğiz. Zor bir şey ve gerçekten de yutmak isteyeceksin ama yaklaşık on beş dakika boyunca ağzında tutmaya çalışmalısın."

Bir yudum su aldı ve dikkatlice yutmadan ağzında tuttu. Yaptıkları söyledikleriyle birebir uyuyordu. Her parçası suyu lıkır lıkır içerek bütün şişeyi bitirmek istedi. Peter'ın içmeyi bırakma konusundaki isteksizliğini gördü. Şişeyi ağzından çekip geri uzattığı esnadaki duraksamasından belli oluyordu.

Beck arkadaşına baktı sonra da kendine göz gezdirdi. Kumaş pançoların, sarıkların ayrıca kendi giydiği kumaş tozlukların içinde dışarıdan tuhaf bir görünüşleri olmalıydı. Fakat ellerinden geldiğince duruma uygun giyinmişlerdi.

Başıyla kuzeye doğru Fas'ı işaret etti. Bir nezaket jestiyle "Devam edelim mi?" dedi.

Alacakaranlığın kasvetli aydınlığı batı yönünde bir süre daha kaldı fakat kısa süre içinde o da solup gitti. Çölün renkleri gri gölgelerin arasından süzülerek kayboldu. Peter, Beck'in sonu gelmeyen kum tepelerini güçlükle arşınlarken gittikçe hızlandığını karaltısının büyüyerek bir hayalete dönüşmesinden anlıyordu.

"Sağlam ve sert adımlarla yürü," dedi Beck. "Yılanları korkutacaktır bu."

Peter hiçbir şey demedi fakat adımlarının çıkarttığı ses belirgin bir şekilde arttı.

Güneşle birlikte gündüzün sıcaklığı da gitmişti. Beck, kumaşın altında bile kolunun üstündeki tüylerin diken diken olduğunu hissetti. Hiç olmazsa üstündeki panço az miktardaki vücut sıcaklığını içeride tutuyor; gecenin soğuğundan koruyordu. Vücut sıcaklığındaki en ufak bir değişimin bile etkilerinin çok büyük olacağını biliyordu.

Önlerindeki zemin yukarıya doğru eğim yapıyordu. Dik ve yüksek bir kum tepesiydi. Gün ışığında ve düzgün bir pusula yardımıyla Beck, tepenin etrafında çevresini dolaşmayı düşünebilirdi. Karanlıktı ve yıldızların ışığı henüz yeterli görüş mesafesi sağlamıyordu. Alçak zeminde sıkışıp kendi çevrelerinde dönerek daire çizmek gibi bir tehlike vardı. Hayır, kesin kararını vermişti. Yola dümdüz devam etmek tek cevaptı.

"Bu zor olacak," diye konuşmaya başlamıştı ki oflayıp puflamalar eşliğinde Peter kendini yüz üstü kuma bıraktı.

"Ayaklarım geriye doğru gidiyor!" Peter, Beck kendisine yardım etmek için yanına geldiği sırada dert yandı. "Zemin ayaklarımın altından sürekli kayıyor..."

"Evet, öyle. Hadi ama." Beck arkadaşının yanına, kumlara bıraktı kendini ve önlerindeki tepeye karşı onu cesaretlendirmeye çalıştı. Tepe sadece bir kum yığınıydı. Onları bir arada tutacak hiçbir şey yoktu. Milyonlarca kum tanesi yer çekimi kanuna uymak *istiyordu* ve bunun gerçekleşmesi için tek ihtiyaçları olan şey biraz teşvikti. Birilerinin üzerinde yürümeye çalışması yeterli bir teşvik sağlıyordu. Ayağını yere her bastığında, kumun içine battığını hissediyordu. Ayağını yerden her kaldırdığında ise gevşek kum ayakkabılarının üzerinden çağlayarak dökülüyordu. Evet, tıpkı Peter'ın söylemiş olduğu gibi sanki geriye doğru yürüyormuşsun gibi hissettiriyordu. İleri atılan her bir adım için iki adım geriye.

"Vay canına..." Peter hemen yanında nefes nefese kalmıştı. Beck çıkarttığı seslerden ne kadar çaba sarf ettiğini duyabiliyordu. Her adımınla birlikte bacağını normalden çok daha yükseğe kaldırmak zorundasındır ve bu ileriye doğru yalnızca birkaç santimetre yol almanı sağlar. Oysa normal bir zeminde aynı enerji, sizi en az bir metre kadar yukarıya çıkarır.

"Evet," diye onayladı Beck. Daha fazla sohbet etmeye gerek yoktu.

Kum tepesi sıradan küçük bir tepe olsaydı birkaç dakika içerisinde yukarıya çıkmış olurlardı. Beck, bu seviyeye ulaşmalarının on beş dakikadan daha fazla sürdüğünü tahmin ediyordu. Tepeye ulaştıklarında Peter'ın zorlukla nefes aldığını duyabiliyordu.

"Mola." Peter soluk soluğa kalmıştı. "Lütfen."

"Tabi." Beck gönülsüzce onayladı.

Bulundukları yerde çok kalmalarını istemiyordu. Çöl soğuğu gerçekten bastırıyordu ve eğer Peter daha ilk karşılaştıkları küçük kum tepesinde yorulduysa, Sahra Çölü'nün geri kalanını geçerken... Bunun hakkında düşünmek istemedi. Arkadaşının göğüs kafesinin çabayla inip kalktığını görebiliyordu.

Sanki planlamışlar gibi Peter'ın alarmı öttü. Gülümsediler ve ikisi de birer yudum su aldılar. Ağızlarında çok uzun süre tutamamış olsalar dahi, sularını paylara böldüklerinden ve her damlasından faydalandıklarından emindiler.

Kum tepesinin zirvesinde otururlarken, aşağılarında beliren net bir desen görebiliyorlardı.

Denizdeki dalgalar gibi, kum tepeleri de aynı yönde oluşma eğilimindeydiler. Keskin dik bir kenar ve dalgalı diğer bir kenardan oluşan bir motifti bu. Rüzgâr tarafından şekillendirilmiştiler.

"Hey, Beck baksana!" Peter heyecan içinde bağırdı. "Bu kum tepeleriyle aynı yönde yürürsek, düz bir çizgide ilerliyor olduğumuzu bileceğiz. Bütün kumulların aynı yöne doğru şekillendiğini görebiliyorsun."

"İyi iş Peter," dedi Beck. "Yıldızlar ortaya çıkıncaya kadar yön bulmak için bunu kullanabiliriz, çevremizde dönmemizi engelleyecektir."

Bir saatlik yürüyüşün ardından Beck kafasını havaya kaldırdı. Ay yükselmişti, yarım aydı ve bazı yıldızlar ortaya çıkmıştı.

"Bak Peter, şimdi yıldızları kullanabiliriz," dedi.

"Öyleyse hangi yöne?" diye sordu Peter. Sesi kum tepesiyle karşılaştıkları zamana göre sesi daha az gergin geliyordu ama hâlâ zayıf çıkıyordu.

"Büyük Ayı'ya baksana," dedi Beck.

Kafasını kaldırdı ve gökyüzünü taradı.

"Büyük Cezve mi demek istedin? Kocaman uzun saplı tencere?"

Beck sırıttı. "Her neyse."

"Orada."

Takımyıldızı, gökyüzünde sol taraflarında asılı durmaktaydı. Beck neden Büyük Ayı dendiğinden pek emin değildi. Fakat neden Büyük Cezve denildiğini görebiliyordu. Büyük tencere demek çok daha uygun olurdu aslında. Uzun bir sapı vardı sonra keskin bir açıyla çıkıntı yapan yarı boyu kadar uzanan bir kulpu vardı ve üç tane düz kenarı olan gövdeyle birleşiyordu.

"Tencerenin sağ kenarına doğru bak," dedi Beck. "Soluk düz çizginin içinde iki yıldız var."

"İki yıldız yan yanayken her zaman soluk düz bir çizgi olarak görünürler," diye mantıklı bir noktaya değindi Peter. "Fakat sorun değil."

"Doğru tespit!" dedi Beck. "O hattı takip ettiğinde, çizgi boyunun dört katı kadar uzaklıkta bir yıldız var."

Aha! Peter hattı takip etti. "Yakaladım."

"Ve işte bu Kutup Yıldızı. Yani Kuzey Yıldızı. Her zaman kuzeydedir. En parlak yıldız değil ama diğerleri gibi yer değiştirmez. Yani eğer onu görebiliyorsan kuzeyin nerede olduğunu bilirsin. Veya sadece cezveyi bulman bile yeterli."

"Havalıymış." Karanlığın içinde sırıtırken Peter'ın dişleri bembeyaz parladı. Beck sesindeki gerginliği hâlâ duyabiliyordu.

"Yolu biraz sen göstersene, dostum," diye önerdi Beck.

Tepeden aşağıya inmek de oldukça zor işti. Gündüz olsa aydınlıkta problem olmazdı. Öne doğru eğilirsin ve geri kalan işi yer çekimine bırakırsın. Düşmemek için uzun adımlar atarak dizlerini kırman yeterli. Yorucu ama hızlı bir yöntemdir.

Fakat karanlıkta, gözden kaçan tek bir taş parçası yanlış bir adım atmak için yeterlidir. Sonrasın kırık bir kemik ya da daha kötüsü ölümle sonuçlanabilir.

Bir tane el fenerleri vardı ama sadece tek bir kaynaktan gelen ışık, gece görüşlerini mahvederdi.

Bunun yerine, tepenin kenarından ufak ufak kayarak, çıkarken izledikleri yol benzer şekilde indiler. Her iki çocuk da bacaklarındaki kasılmaları hissedebiliyordu ve ayakta dik durmak için gayret ediyorlardı. Çok geçmeden ayakkabılarının içi kumla doldu. Beck şaşırmamıştı. "Ayakkabılarını çıkar Pete ve içlerini boşalt" dedi arkadaşına. "Eğer uzun süre bu şekilde yürümeye devam edersek, kum taneleri ayaklarımızda kesikler açar."

İkisi de ayakkabılarını boşaltmak için birkaç dakika harcadılar ve üstlerindeki kumları temizlediler.

"Her yarım saatte bir bunu yapacağız," diye ekledi Beck. "Babam, her zaman, ayaklarımızın en büyük kıymetli varlığımız olduğunu söylerdi. Onların iş gördüğünden emin ol, zaten geri kalan vücudun onları takip edecektir... Hadi bakalım. Devam ediyoruz..."

Bu yöntemlerle birkaç saat daha ilerlediler.

Bazen zemin yatay denecek kadar bir eğimle ilerliyordu.

Bazen de kumdan bir tepe önlerinde şaha kalkıp yükseliyor ve ilkiyle uğraştıkları gibi onla da uğraşmak zorunda kalıyorlardı. Ayrıca bunu yaptıkları her seferde öncesine göre daha yorulmuş oluyorlardı.

Ay ışığı, onları her şeyin gri tonlarında olduğu bir dünyanın içine atmıştı. Ara sıra daha koyu renkli karaltılar görünüyordu; bir taş, nadiren bir öbek çöl bitkisi, eğri büğrü bir ağacın silueti. Fakat çoğunlukla sadece kumdu.

Artık Kuzey Yıldızı'nı görebiliyorlardı ve ciddi engellerin etrafından dolaşarak geçebildiler. Ancak buradaki tehlike ise yolu uzattıkları için dümdüz ilerlemekten çok daha fazla vakit ve enerji harcamalarıydı. Bu yüzden Beck mümkün olduğunca kuzey yönünde kalmaları için uğraştı.

Soğuk, çok geçmeden atağa geçti. Bir sonraki duraklarında Beck, Peter'ın çantasını açtı. Fazladan bir paraşüt tabakasını daha vücutlarının üst kısmına sardılar.

Biraz yararı oldu, paraşüt kumaşı iyi bir izolasyon malzemesiydi ama bir kaban kadar iyi değildi.

"Neden bu kadar soğuk?" Peter, sonsuz karanlığın içinde zorlukla ilerlerken söylendi. Sesinde çok hafif bir titreme vardı. Beck soğuk yüzünden arkadaşının dişlerinin takırdadığından oldukça emindi. Kendisi de aynı durumdaydı.

"Fizik uzmanı olan sensin. Sen söylesene nedenini." Beck cevabın ne olduğunu biliyordu fakat Peter'ın zihnini dinç tutmak istedi. Böylece vücudunun hissettiği soğuğu zihninden uzaklaştıracaktı.

"Kum işe yaramaz bir yalıtkandır." Peter bir dakika düşündükten sonra konuştu. "Sıcağı tutamıyor. Gündüz vakti tüm sıcaklığı emerken, ki bu nedenle çok ısınıyor, güneş kaybolur olmaz da tüm ısısını kaybediyor."

Tabii ki, diye düşündü Beck.

"Ayrıca ısı her zaman sıcak şeylerden soğuk şeylere doğru geçer ve şu an biz kumdan daha sıcağız.

Yani basitçe söylemek gerekirse sahip olduğumuz sıcaklığı emecek koskoca bir çöle sahibiz. Vay canına. Soğuk olması hiç garip değil."

"İşte bu yüzden uyumak için durduğumuz zaman yere bir şeyler sermeliyiz," diye ekledi Beck. "Paraşüt kumaşı veya bulabilirsek palmiye yaprağı da olur. Bize yalıtım sağlayacak herhangi bir şey ama bunlara birkaç saat daha gerek olmayacak."

"Ah, sen bana bakma, ben yürüyebilirim..."

Peter bunu dedikten sonra sessizliğe gömüldü. Beck yan tarafta karanlığın içindeki arkadaşına bir bakış attı.

Havuzun tabanına dokunmak için Peter'ın verdiği mücadeleyi hatırladı. Başarıya ulaşana kadar sadece çalışmaya devam etmişti. Evet, Beck, Peter'ın söylediklerinde samimi olduğunu biliyordu. Arkadaşı yürümeye devam edecekti. Fakat havuzun dibi yalnızca üç metre uzaktaydı. Ulaşmak istedikleri yer kilometrelerce uzaktaydı. Peter'a suya dalmayı öğreten aynı inatçılığı, şimdi de karada yürümek için onu bitap düşürecekti. Beck bunun olmasına izin veremezdi.

Nihayet gecenin karanlığında, belli belirsiz kapkaranlık bir yığın şekil ortaya çıktı. Yamuk yumuk hatları kayalık bir alan olduğuna işaret ediyordu. Küçük bir krater benzeyen bir çukurla çevrelenmiştiler. Yan tarafında yükselen palmiye ağacının gövdesi ve yaprakları yıldızları engelliyordu.

"Saat kaç?" diye sordu Beck. Durdular.

"Saat tam dört ve ben bittim." Dokuz saatten daha fazla süredir yürüyorlardı.

Beck tereddüt etti ama sadece bir anlığına. Her ne kadar kendini biraz daha zorlamak istese de Peter daha önce hiç tek nefeste kilometrelerce doğa yürüyüşü yapmamıştı.

Üstelik soğuktan arkadaşının nefesinin titrediğini duyabiliyordu. Kendisi de pek iyi durumda sayılmazdı.

Hesabını yaptı. Dinlenmek her ikisi için de iyi olacaktı. Şarj olma zamanıydı. Burası iyi bir noktaydı.

"Burada bir ara vereceğiz," diye duyurdu. "Sonra tekrar..."

Peter yürümeyi sürdürdü. "Hayır" diye homurdandı. "İlerlemeliyiz... Devam etmeliyiz... Öylece duramayız, Beck... Durmamalıyız."

"Hey. Hey!" Beck kolundan kavradı. "Biraz mola için kendine izin ver, biliyorsun. İkimizin de buna ihtiyacı var. Aksi hâlde yığılıp kalacağız, tabi eğer öncesinde hipotermi geçirmezsek."

"N-ne?"

"Hadi ama Sayın Biyolog Bey. Sen anlat bana."

Beck onu kayalara doğru götürdü. Peter'ın ayakları yorgunluktan birbirine dolanıyordu.

"Ah, tamam," diye fısıldadı. "Vücudunun bulunduğu ortamla ısı alışverişine girmesi sonucu, vücut sıcaklığının daha hızlı düşmesiydi. Koordinasyonunu kaybedersin, uyuşursun ve sonra ölürsün."

"Tam üstüne bastın." Beck alaycı bir şekilde sırıttı. En son hipotermi için endişelendiği zaman Alaska dağlarındaki kar fırtınasından sakınmak için çılgınca çukur kazıyordu.

Şu anda dünyada sıcaklığın en yüksek seviyelere ulaştığı yerlerden birindeydi ve hipotermi hâlâ ensesinde soluyordu.

"Tüh be. Bu gerçekten yaz tatilimizi berbat edebilir." Artık Peter'ın dişleri kesinlikle soğuktan birbirine vuruyordu.

Beck en yakın kayanın yanına oturdu; arkadaşı da kendini hemen yanına bıraktı, dizlerini kendine doğru çekerek sarıldı. Titriyordu. "Annem kaloriferleri sonuna kadar açtığında asla bir daha şikayet etmeyeceğim. Babam elektrik faturasının hep çok yüksek geldiğini söyler; yeterince, soğuk!"

Beck kendisi de titrediği hâlde gülümsedi. "Kaloriferden bahsetmiş olman komik. Sanırım doğal kaloriferleri biraz açabiliriz."

"Ha ha ha." Peter arkasına doğru taşın üstüne yaslandı ve şaşkınlıkla fırladı. "Vay canına!"

"Sana demiştim!"

Beck de geriye yaslandı. Kaya sıcaktı ve sıcaklığın içine aktığını hissedebiliyordu. Çok büyük bir mutluluktu. En ufak bir ısı değişiklinin dahi büyük farklar yaratacağı kadar üşümüştü.

"Güneş gündüz vakti kayaları ısıtıyor," diye açıkladı, "ve gece olunca ısılarını yavaşça salıyorlar. Gündüz olsaydı bunlar seni fırındaymışsın gibi öylece pişirirlerdi. Gündüz vakti bitkilerin olduğu yere sığın ama geceleri kayalar en iyisidir."

"Bana uyar," diye karşılık verdi Peter. Dizlerini göğsüne çekerek sırtını taşa bastırıyordu. "Çevreye saygılıyım."

"İyi bakalım. Sanırım karbon ayak izimizi arttırmak zorunda kalacağım." Beck sırt çantasına uzandı ve el fenerini çıkardı. "Burada bekle."

"Hadi canım? Görecek bu kadar eğlenceli şey varken daha çok bekleyecek miyim?" Peter alaycı bir şekilde söylemişti.

Beck güldü ve el fenerini açtı. Işık palmiye ağacını aydınlattığında keyifle kafasını salladı. Ölü yapraklar ve dallardan oluşan bir tabaka ile çevriliydi. Her şeyiyle kupkuruydu, memnun kalmış bir şekilde düşündü. Burada bir ateş yakmak hiç de zor değildi.

Çalı çırpıyı toplayıp bir yığın haline getirmek için yere çömeldi. Parmakları bir yaprağa hafifçe dokundu; yaprak hareket etti.

Beck elini geri çekti. Yaprak hareket etmeye devam ediyordu.

Bir çubuk bulmak için usulca uzandı ve yaprağa hafifçe dokundu.

El fenerinin aydınlattığı ışık havuzunun tam ortasında duruyordu. Sanki bir sahne şovu yıldızı gibiydi, sarı renkli, şişman kuyruklu bir akrep kıskaçlarını ve kuyruğunu tehdit etmek için kaldırmıştı. Beck dünyadaki en zehirli canlılardan birine doğru bakıyordu.

BÖLÜM ON

"Ah, selam, Sayın Andro-her neysen," diye mırıldandı Beck. Yaratığın bilimsel adının yazdığı, oteldeki dergiye geri döndü zihni ama tam olarak hatırlayamadı. Fakat bu yaratık hakkında okuduğu her şeyi hatırlıyordu.

Akrep hamle yapmadı ama kuyruğunu havaya kaldırdı. Belki Beck'in tam olarak ne olduğunu bilmiyordu ama onun kendinden çok daha büyük olduğunun farkındaydı. Şayet sadece tehdit ederek aynı sonucu elde edecekse -ki bu da Beck'in uzaklaşması oluyor- saldırıya geçmeyecekti.

Beck el fenerini küçük yaratığın üstünde tutarken geriye doğru birkaç ufak adım attı. Olduğu yerde çeyrek daire kadar döndü ve sürünerek uzaklaşmaya başladı. Beck ışık tutmaya devam ederken yerden bir sopa aldı.

"Pete," arkadaşıyla sanki sıradan bir sohbet edermiş gibi konuştu. "Çantadan bıçağı getirebilir misin?"

Peter'ın ayağa kalkarak sırt çantasını karıştırdığını duydu. Bir süre sonra bıçağı, eline sıkıştırmıştı.

"Aman Allah'ım. Peter yanında duruyordu, akrebe doğru gözlerini dikmişti. "Bu tehlikeli mi?"

"Hayır" dedi Beck. El fenerini arkadaşına uzattı. "Sadece ölümcül. Işığı üstünde tutmaya devam et."

Çevresinden dolaşması gerekti, böylece gölgesi akrebin üstüne düşmedi. Akrep, Beck'in tam olarak önünde olduğunu hissetti ve durdu. Uyarmak için tekrardan kuyruğunu kaldırdı.

Bir kobra kadar zehirlidir... Dergide bunlar yazıyordu. *Felç, havale, kalp durması veya solunum yetmezliği...*

Beck sopasıyla öne doğru atıldı ve akrebin bedenini yere yapıştırdı. Kıskaçları havada çaresizce kapanıp açılıyordu ve kuyruğu zehrini Beck'in tuttuğu kuru ağaç dalına bıraktı. Beck eğildi ve diğer elindeki bıçakla kuyruğunu kopardı. Sonra başını ve kıskaçlarını kesip attı ve Peter'ın görmesi için gövdesini gururla havaya kaldırdı.

Peter el fenerini üstüne tuttu ve korkudan açılmış gözlerle baktı. Hayvan hâlâ kıpırdıyordu ve bacakları bir süre daha tuhaf bir şekilde kıvrılıp açıldı.

"Peki şimdi bununla ne yapacağız?"

"Yiyeceğiz."

"Dalga geçiyorsun..." Peter'ın sesi kısılmıştı. "Sadece su ve yiyecek olmayan bir çölün ortasında sıkıştığımızı sanıyordum. Survivor yarışmasında olduğumuzun farkında değildim."

"Hayır, bu seferlik akrep yediğin için ödül kazanmayacaksın!" Beck akrebi dikkatlice kayanın üstüne koydu. "Ama biliyorsun protein ve besleyici öğelerle dolu."

Beck, bir cerrah kadar özenle, yaratığı yarıya böldü. İç kısmındaki sıvılar yapışkan bir öbek hâlinde dışarıya sızıyordu. Bıçağını kullanarak hepsini yaratığın kabuğunun içinde geri topladı ve bir yarımı Peter'a uzattı.

Peter büyük bir dikkatle uzatılanı aldı ve kesinlikle sıfır hevesle elindekini inceledi. Soğuk yüzünden titremesi bile durmuştu.

"Rahat yaşantılarımız geride kaldı," diye hatırlattı Beck.

"Konforlu yaşantımız," diye mırıldandı Peter.

Beck göz kırptı ve ağzını açtı, kendi yarımını ağzına attı. Kasıtlı olarak gözlerini Peter'dan ayırmadan ve telaşsız bir şekilde ağzını kapattı ve çıtır çıtır yedi. Peter'ın gözlerinde önce teslimiyeti gördü, onu kararlılık takip etti.

"Haklısın..." diye fısıldadı Peter ve aynısını yaptı. Akrebin kabuğunu dişlerken yüzü buruştu. Güçlükle yuttu. Çiğnenmiş kütle aşağıya doğru inerken yüksek bir yutkunma sesi duyuldu. "Keskin bir tadı var... Fakat hiç kimse bana akrepkolik diye seslenmeyecek."

"Pekâlâ, bunun geldiği yerde çok daha fazlası vardır. Hadi şimdi ateş yakalım."

Peter'ın hevesi geri geldi. "İşte budur. Ateş çeliğin yanında mı?" büyük bir hevesle sordu.

"Hmm," Beck dişlerini birbirine perçinledi, "pek sayılmaz..."

Ateş çeliği, Beck'in en kıymetli mal varlığıydı. Kısa bir metal çubuk ve kör bir tıraş bıçağına benzeyen yassı bir parçadan oluşuyordu. Magnezyum ve çelikten yapılmıştı ve birbirlerine çarptığında kıvılcım çıkarıyordu. Doğru tutuşturucu maddeyle birlikte ormanın içinde veya Kuzey Kutbu'nda olmanız fark etmez ateş yakabilirdi. Beck bu aleti dünyanın her yerinde kullanmıştı.

Daha doğrusu bulundukları yer hariç her yerde. Ateş çeliği otel odasında kalmıştı. Hatta Beck tam olarak nerede olduğunu bile biliyordu: başucu masasının üstünde masa saatiyle lambanın ortasında duruyordu. Bu resmi kusursuz bir şekilde gözünün önüne getirebiliyordu.

"Yüzmeye gideceğimizi sanıyordum, bu yüzden odada bıraktım" dedi. "Komik, bir uçakta kaçak yolculuk yaparken, bir yandan da elmas kaçakçılarından saklanacağımızı beklemiyordum."

"Peki ne yapacağız?"

"Sen yakacak odun topluyorsun. Kuru dallardan iyi bir yığın gerek ve biraz çıra yani kuru ufak dal parçaları, eskimiş palmiye yaprakları, bu tarz şeyler." En azından buradaki her şeyin gerçekten kupkuru olması bizim avantajımıza diye düşündü. "Bir şeylere her uzandığında el fenerini kullan ve çevresini dürterek yakınlarda başka akrep olmadığından emin ol. Ben de bu arada ateş yakmaya çalışacağım."

Çocuklar görevlerini yerine getirirken Peter, Beck'in yaptığı işi izlerken yavaşladı. Yeterli ışık vardı ve Beck bu işi daha önce defalarca yaptığı için görmeden sadece içgüdülerini kullanarak bile bunu yapabilirdi.

Beck bir yaylı matkap ateşi yakacaktı; ateş yakmak için en eski yöntemlerden birisiydi bu.

Altlık için yaklaşık otuz santimetre uzunluğunda ve elinin genişliğinde bir odun parçası bulmak için çevresine bakındı. İhtiyaçlarını tam olarak karşılayacak bir şey bulamadı. Bu yüzden baltasını kullanarak daha büyük bir odundan bir parça kesti. İnceydi, kalınlığı sadece birkaç santimetreydi. Daha sonra çentikler atmak için bıçağını kullandı ve ahşabın ortasından küçük bir oyuk kesip çıkardı.

Sırada delgi ve ok vardı. Delgi kolaydı. Bulabildiği en düz dalı seçti, çapı yaklaşık bir santimetreydi ve iki ucu da yuvarlak olacak şekilde, boyu yarım metreden az daha uzun kalana kadar dalı budadı.

Delgi, tahta tabana oyduğu küçük deliğin içinde hızla dönerken sürtünme enerjisi ilk kıvılcımın çıkması için yeterli ısıyı üretir.

Matkabı döndürmek için bir yaya ihtiyacı vardı. Delginin yaklaşık iki katı uzunluğunda bükülmeye müsait bir dal buldu. Bir ucundan diğer ucuna paraşüt kordonunu bağlayabilmek için her iki uca küçük birer çentik attı. Dalı yay şeklinde eğmek için ortasına doğru yaslandı ve sonra kordonu her iki ucuna sıkıca bağladı böylece aradaki kordon gergin bir şekilde duruyordu. Her şey, bir çocuğun Robin Hood'çuluk oynama girişiminde olduğu gibi görünüyordu. Fakat bu yay, kötü Kral John'u vurmak için kullanılmayacaktı.

Son olarak elini korumak için bir şeylere ihtiyacı vardı. Delginin bir ucu alttaki tabana oturacaktı; diğer ucunu da Beck tutacaktı ve avucunda bir matkap deliği oluşmasını istemezdi. Avucunun içine tam oturan küçük bir odun parçası buldu ve matkap yastığı yapmak için ve delginin diğer ucuna oturtacak şekilde üstünde bir oyuk açtı.

"Nasıl gidiyor?" Peter'a seslendi. Peter bulabildiği ne varsa; parçalanmış ağaç kabuklarını, kuru ağaç kökleri, yaprakları ve bazı büyük odun parçalarını bir araya toplamıştı.

Beck beğeniyle başını salladı. "Harika Peter. Biliyor musun, biraz gübre yardımıyla sağlam bir ateş yakabilirdik." Konuşmayı sürdürdü. "Mükemmel bir yakıt olurdu. Kötü kokulu ama mükemmel."

"Evet, ama sakın benden böyle bir şey bekleme..."

"Tamam. Hadi şimdi bir deneyelim."

Beck ağaç kabuğundan bir levha koparmak için bıçağını kullandı ve levhayı düz bir kayanın üstüne yerleştirdi. Bu mangal tepsisi olacaktı; ilk çıkan kıvılcımları tutan parça.

Bir avuç çırayı tepsinin üstüne yerleştirdiğinde tıpkı bir kuş yuvasını andırmıştı. Ortasında bir delik açmak için parmaklarını kullandı.

Ardından taban plakasını mangal tepsisinin hemen yanına koydu. Küçük çalı parçalarından destek alarak plakanın bir ucunu yükseltti böylelikle mangal tepsisini itti ve plakanın altına doğru kaydırdı. Peter, el fenerinin ışığı taban plakası ve tepsiye doğru vuracak şekilde yakındaki bir kayanın üstüne bıraktı. Sonra Beck, gergin yay kirişini delginin etrafında bir tur çevirdi. Yay, delgiyi sabit tutarken daha da gerildi. Beck delginin bir ucunu oyuğun içine yerleştiririrken, Peter plakayı sabit tuttu. Delginin diğer ucunu da sol elindeki avuç yastığının içine oturttu.

Beck sağ elini kullanarak yayın bir ucundan tuttu ve nazikçe kendine doğru çekti. Gergin yay, delgiyi kavradı ve yavaşça döndürdü. Sonra Beck daha sıkı şekilde ileriye doğru itti yayı ve bu sefer de delgi diğer yönde dönmeye başladı.

Beck düzgün ve sabit bir hareketle yayı ileri geri hareket ettirmeye başladı. Matkap ucu taban plakasına sıkıca bastıracak şekilde el yastığını aşağıya bastırdı.

"Ateşi sadece bir sopayla ve taban plakasıyla yakabilirsin..." diye kendi kendine söylendi, tüm dikkatini yaya vermişti. "Sopayı ellerinin arasında yuvarlarsın ama bu yöntem kadar iyi değil. Ayrıca bunu yaparken ellerin su toplar..."

Sonrasında, matkap ucu küçük oyuğunda döndüğü sırada, ikisi de birkaç dakika boyunca konuşmadılar. Beck dokunmak için çok sıcak olduğunun farkındaydı, tıpkı yanan bir sigarayı eline bastırmak gibi. Sürtünme hareketi ince bir tabaka talaş tozu oyarak çıkartmıştı.

"Baksana, işte!" Peter tuttuğu nefesini bıraktı.

Delgicin ucunda çok ince halka şeklinde dumanlar yükseldi, el feneri ışığında zar zor görülüyordu.

"Pekâlâ, biraz daha..."

Birkaç dakika sonra duman çok daha kalın bir katman hâline dönmüştü. Talaş tozu iyi olmuştu, ateşi harlıyordu.

Beck durdu ve yayı indirdi. Taban plakasını hafifçe eğdi ve yavaşça alttan vurdu. Parlayan közler çentik boyunca ilerledi ve mangalın üstüne düştü. Sonrasında dikkatlice bu közleri çıra yığınının ortasına doğru topladı.

"Hadi oğlum, hadi," diye fısıldıyordu Peter, sanki yalnızca inanç gücüyle ateşi yakabilir gibiydi. Beck közleri eliyle hafifçe yelledi.

Bu erken aşamalarında üflemek bile çok fazla gelebilirdi. Biraz daha parladılar ve çıralar kararmaya başladı. Beck sanki bu küçük yığını öpmek istiyor gibi dudaklarını büzüştürmüş, hafifçe üflüyordu. Artık daha fazla duman çıkıyordu. En sonunda kusursuz bir kıvılcımın kuru dalları yalayıp geçtiğini gördü.

"*Evet!*" Peter zafer çığlığı attı.

Beck süratle yanan demeti yere koydu ve üstüne yerdeki yığından ekleme yapmaya başladı. Kuru küçük dallar, kurumuş ağaç kabuğu şeritleri. Bir şeylerin alevin içinde sıcaktan *çatırdayarak* yanması duydukları en iyi seslerden biriydi. Yavaş yavaş alevlerin yayılması, yerdeki yığını tüketirken kamp ateşini de yükseltiyordu. Çocuklar büyük bir şevkle ateşin etrafında toplandılar. Bir taraflarında ateş, diğer taraflarında hâlâ sıcaklık yayan kayalar ile küçük kamp alanları birdenbire çok daha keyifli bir yere dönüştü.

Beck, önlerindeki birkaç saat içinde küçük kamp alanlarının yeryüzündeki cehenneme döneceğini düşündü. Şimdi onları hoş bir biçimde ısıtan kayalar güneye doğru bakıyorlardı. Güneş yüksekteyken orada barınamazlardı, sadece sıcak, çok büyük bir sıcak kumun üstünü dövecek ve kayalardan geri yansıyacaktı.

Ancak o zamana kadar yola çıkmış olacaklardı.

"Tamam." Beck sırt çantasına uzandı. "Sanırım bunlardan birini hak ettik, öyle değil mi?"

Balık konservelerinden birini çıkardığında Peter'ın yüzü aydınlandı.

"Ah, kesinlikle! Akrep tadını ağzımdan alması bile yeter bana..." Sonra yüzü düştü. "Ama ton balıkları salamura şeklinde paketlenir. Tuzlu su. Suyunu içemeyiz."

"Tatlı su. Etikette yazıyor. Tuzsuz." Beck, konserve açacağıyla kapağın üstünde çalışıyordu. "Ton balığına bayılırım ve dostum, şu an gerçekten çok açım!"

"Mayonezle çok daha iyi giderdi!"

"Eğer elinde su yoksa genellikle yemek yemekten kaçınmak gerektiğini biliyorsun. Yemek seni doyurabilir ama sonra vücudunun sahip olduğu az miktardaki suyu kullanır. Yanında en az bir litre su yoksa et yememelisin. Kapak açıldı, Beck konserveyi öne uzattı. "Ama bunları hem yiyip hem de suyunu içebiliriz."

Öyle de yaptılar. Balık parçalarını elleriyle çıkarıp, suyundan birer yudum alarak konserve kutusunu sırayla birbirlerine geri uzattılar.

Balık tadı vardı, ama neyse ki tuzlu değildi. Beck suyun akışını ve susuzluktan kurumuş bedeninin dokuları arasına doluşunu hissedebiliyordu sanki. Vücutları yeniden ferahlamış, yolculuğun diğer aşamaları için canlanmışlardı. Güneşin doğuşuna kadar birkaç kilometre daha ilerleyebilirlerdi. Sonra günün en sıcak bölümünün geçmesini beklemek için bir yerlere yerleşmek zorundaydılar.

"Bu" Peter'ın aniden nefessiz kaldı ve öksürdü. İki büklüm olmuştu. Bir miktar yiyeceği ağzından kumun üstüne tükürdü. "Hey, Pete! İyi misin?" Beck sırtına sağlam bir yumruk attı ve Peter birkaç kez derin nefes aldı.

"Nefes boruma kaçacak gibi oldu. Ayrıca sert bir şeye benziyordu."

Tek parmağını kullanarak yerdeki yiyecek topağını dürttü sonra eline aldığı şeyi tutup havaya kaldırdı. Küçük bir çakıl taşına benzeyen topağın üstündeki ton balığı parçalarını temizledi.

"Ton balığının içinde taşlar var!" diye haykırdı. "Neredeyse boğuluyordum."

"Bakalım..."

Beck çakıl taşını kaldırdı ve ateşin ışığına doğru tuttu. Peter üzerindeki bütün yiyecekleri temizlediği hâlde parmaklarının arasında neredeyse kaygan sayılabilecek bir pürüzsüzlük hissetti. Alevlerin altında az da olsa parıldıyordu.

"Demek böyle yapıyorlar," diye mırıldandı. "Kaçakçılık işleri böyle işliyor. Onları konserve kutularına koyuyorlar."

Beck elinde henüz işlenmemiş bir elmas tutuyordu.

BÖLÜM ONBİR

"Elmas mı? Bakayım!"

Peter elması aldı ve inceledi. O sırada Beck de konserveyi aldı ve parmağını içinde gezdirdi. Konservede hâlâ biraz balık suyu vardı. Ziyan etmemek için dikkatli davrandı. İlki gibi üç tane daha taş çıkardı.

Peter kendini beğenmiş bir ses tonuyla, "Elmasları tenekelerde sakladıklarını söylemiştim" dedi. "Ama daha parlak olduklarını sanıyordum."

"Sadece kesilip cilalandıktan sonra."

"Merak ettim, acaba ne kadar değerli?"

"Kesinlikle bir hiç," dedi net bir şekilde Beck. "Bunları yiyip içemeyiz."

Peter ona ters ters baktı. "Bizim için değerini düşünmüyordum.

Bayan Chalobah için değeri nedir? Sierra Leone için değeri nedir? Ülkenin kalkınmasına yardım etmek için elmas ticaretini kullanmakla ilgili bize söylediklerini hatırlasana?"

"Evet tabi ya, fakat o geride kaldı, biz buradayız."

"Elmasların nerede olduklarını ona haber vermemiz lazım, değil mi?" Peter elması yere bıraktı ve kamerasına uzandı. Hâlâ beline asılı kılıfının içinde duruyordu. "Bunu filme alacağım."

Beck güldü ve gözlerini devirdi.

"Hayır, gerçekten yapacağım." Peter ciddi bir şekilde ona bakıyordu. Beck kararlılığını gördü. "Şu açıdan bak. Biz olmasak bile bilirsin işte..." Yutkundu. "Buradan kurtulamazsak bile, cansız bedenlerimizi bulacaklar ve o zamanda kameraya ulaşacaklar. Onlara elmasların ülkeden nasıl çıktığını bildirmemiz lazım, Bayan Chalobah buna engel olabilir."

"Evet" Beck de ona katıldı. "Sanırım haklısın."

Peter'a filme çekmesi ve keşfettikleri şey hakkında kısa bir açıklama yapması için müsaade verdi. Beck sessizce bekledi. O anki düşüncelerini sesli olarak dile getirmek istemedi. Bunun asıl nedeni, eğer bütün konserve kutularının içinde elmas varsa, içlerinde düşündüğünden daha az yiyecek olmalıydı...

Peter bununla uğraşırken, Beck sonraki gece için biraz daha odun ve çıra topladı. İlerledikleri yol boyunca daha fazlasını bulamayabilirlerdi. Topladıklarını yay ve matkapla birlikte çantasının içine koydu. Görevlerini bitirdikleri zaman gökyüzündeki karanlık kırılmıştı ve doğuda incecik bir kırmızılık görünüyordu. Şafak çok uzakta değildi. Dinlenmiş ve ısınmışlardı; karınları da doymuştu. Artık hareket etme zamanıydı.

Beck, gökyüzünü incelerken, Peter bir kenarda onun düşüncelerini okuyor gibiydi.

"Ne kadar yolumuz var?" diye sordu. Elmasları sırt çantasına dikkatlice istifledi. Her iki çocuk da bunları gerçek sahiplerine ulaştırmayı ümit etti.

"Çok sıcak olmadan önce muhtemelen sadece birkaç kilometre daha ilerleriz. Yine de aldığımız en ufak mesafe bile çok değerli. Devam etmek zorundayız."

"Evet." Peter ağır ağır konuştu. "Biliyorum."

"Haydi, çöl göçebeleri tekrar yola koyulsun!"

Beck sırıttı ve ayağıyla ateşin üstüne biraz kum attı. Kenardaki küllerden bir yumruk kömürleşmiş odun topladı. Bir süredir yanmıyordu ve soğumuştu. Kömürü parmaklarına yaydı. Ardından parmaklarını gözlerinin altına sürmeden önce tahta parçasını Peter'a uzattı.

"Sporcuları görmüşsündür. Amerikan futbolunda kalecilerin, gözlerinin altına sürdükleri siyah isten bahsediyorum. Güneşin göz kamaştırıcı etkisini azaltır. Bir çift pilot gözlüğünden sonra en faydalı şey.

"Tabii ya, gotik tarzı denemek istemişimdir hep..." Peter kömürü yüzüne sürmeye başladı.

"Bir de dün öğlene göre daha çok yüzümüzü sarmalıyız. Sadece görmek için ufak bir aralık bırakacağız."

"Bana uyar."

"Ve..." Beck'in yüzündeki sırıtış büyüdü. Peter yüzünü boyamayı bıraktı ve şüpheyle ona baktı. "Ne oldu?"

"En son ne zaman çiş yaptın?"

Peter kaşlarını çattı. "Nesin sen, annem mi? Merak etme dostum yola koyulmadan yapacağım."

"Hah, evet," diye ona güvence verdi Beck, "yapacaksın."

Peter şüpheli bir şekilde arkadaşına bakarken tekrar kömürle yüzünü boyamaya başladı.

"Aslında," diye devam etti Beck. "İkimiz de yapacağız. Çamaşırımıza... ve onları kafamızın etrafına saracağız."

Yüzünü boyamayı bıraktı. Peter bir danayı yıkabilecek gözlerle ona baktı. "*Ne?*"

"Islaklık buharlaşacak ve bizi serin tutacak..."

"Tek diyeceğim, en ufak bir şüphe duymadan ve bütün kalbimle inanarak söylüyorum ki; *asla olmaz!*"

"Olacak."

"Donumuza işeyeceğiz ve onları yüzümüze saracağız öyle mi?"

"İç çamaşırlarımıza yapmak zorundayız çünkü pamuklu kumaş nemi emer. Paraşüt kumaşından öylece akıp gider."

"*Şaka* yapıyorsun..." Peter'ın gözleri ona yalvardı. "Gerçek mi bu?"

Beck hiçbir şey söylemedi ve arkadaşı pes etmiş görünüyordu.

"Şu rahat yaşantımızı geride bırakmak meselesi gitgide rahatsız edici bir hal almaya başladı!"

Beck ton balığı konservesini arkadaşına uzattı. Dibinde hâlâ biraz su vardı. "İçsene," dedi.

Kampı topladılar, sonra pantolonlarını ve iç çamaşırlarını çıkardılar. Pantolonlarını geri giymeden önce sessizce birbirlerine baktılar sonra sırtlarını dönerek işe koyuldular.

"Buradan kurtulduğumuz zaman anneme bu kısımdan bahsetmeyeceğim," diye söylendi Peter.

"Ne, bunu da kameranla kaydetmeyecek misin?"

"Kes artık."

Uzun süre bir şey olmadı.

"Çiş-ş-ş… hadi çiş, çiş-ş-ş-ş…" dedi Beck, uzun sessizliğin huzursuz edici havasını dağıtmak için.

"*Kes dedim!*"

"Pardon."

"Tamam," dedi Peter, bir süre daha bekledikten sonra "Bitti…"

Arkasını döndüğünde Beck'in iç çamaşırını çoktan kafasına geçirmiş olduğunu gördü. "Hissettiğim kadar gülünç görünüyor muyum?" diye sordu Beck.

"Evet."

Tekrar güldüler ve Peter, Beck'in yönlendirmelerini takip etti.

"Konforlu yaşantımdan artık çok uzaklardayım," dedi ve bütün çişi içine çekmiş çamaşırı başının üstüne koyarken devam etti. "Işık hızıyla bir milyon yıl kadar uzakta."

"Kokuyor," dedi Beck neşeyle, "ama işimizi görecek."

"Öyleyse," dedi Peter, Beck sesindeki kararlığı duyabiliyordu. "Haydi başlıyoruz... Umarım bu hâldeyken kimse bizi görmez!"

Beck saatine bakıyordu. "Hangi tarafın kuzey olduğunu hatırlatsana..." Kendisi bilmesine rağmen arkadaşının biraz pratik yapmasının iyi olacağını düşündü.

"Bekle..." Peter saatini kullanarak prosedüre uydu ve güneyi işareti etti.

"Bu taraftan."

Beck iç geçirmemeye çalıştı. "Yüz seksen derece kadar yanlış bir yönü gösteriyorsun."

Peter'ın yapmış olduğu hatayı biliyordu. Saatin akrebi ve saatin üstündeki on ikinin tam ortasındaki nokta sana kuzey ve güney hattını verir. Sonra hangi tarafın kuzey hangi tarafın güney olduğunu bulmak sana düşer. Güneş yaklaşık olarak doğu yönünde doğar, yani kuzey yönü aynı hattın bir ucunda olmak zorundadır.

"Ah, haklısın, dur biraz... Aha, evet. Bu taraftan." Bu sefer doğru yönü gösteriyordu.

"Eğer saatin kaç olduğun bilirsen güneş her zaman iyi bir rehber olur. Sabah, doğu. Öğlen, güney yönü. Akşam, batı. Sıralama Kuzey, Doğu, Güney, Batı. Kızgın-Deve-Gemiyi-Batırdı. Bu şekilde aklımda tutuyorum" dedi Beck.

"Ya da," Peter öneride bulundu, "Kumulda-Dolaşmak-Gerçekten-Berbat" duraksadı. "Vay canına! Duruma çok güzel uydu" dedi. Beck kahkaha attı.

Moralleri yükselmişti: artık yola koyulma vaktiydi.

Kalan kıyafetlerini giydiler ve elleri açıkta kaldığı için biraz kömürle boyadılar. Güneşin mor ötesi ışınlarında korunmak için güneş kreminden sonra en gelen iyi çözümdü. En son olarak yutmaktan olabildiğince kaçındıkları suyla ağızlarını doldurdular.

Tekrar göz göze geldiler ve Beck ağzındaki suyu kaybetme tehlikesiyle karşı karşıya kaldı. Gülmek istiyordu. Paraşüt kumaşına ek olarak kapkaranlık panda gözleri ve kafalarına bağlanmış çişe batırılmış iç çamaşırlarıyla dikiliyorlardı.

Peter'ın gözleri aniden büzüştü. Beck, Peter'ın da ona bakıp aynı şeyleri düşündüğünü tahmin etti. Seninle aynı durumda, sana manevi destek olacak birisinin olması iyi bir şeydi. Birinin sana güveniyor olması ve aynı şekilde senin de ona güvenmen...

Ağızlarındaki suyla konuşamıyorlardı. Beck şişeyi çantasına koydu ve çantayı sırtına taktı. Gökyüzünün sahip olduğu tüm renklerin altında, çölün içlerine doğru yola çıktılar.

Çölde gündüz yürümek, gece olduğundan çok farklıydı. Sıcak ve ışık, problemin sadece bir parçasıydı.

Avantajlı tarafıysa en azından nereye gittiğinizi görebilirsiniz. Koyu renkteki bir kum yığını bacağınızı kırmak için aniden bir kayaya dönüşmez asla. Ayaklarınızın nereye bastığını görebilirsiniz bu yüzden bileğinizi burkma riskine girmezsiniz.

Fakat şu an çocuklar yıldızları göremiyordu. Güneşte kavrulan kumların üstünde zar zor ilerlerken, yönlerini şaşırmaları oldukça kolay olurdu. Uzaktaki bir kum tepesine gözünüze dikebilirsiniz ama yürüdükçe, kara, yükselip alçalacaktır. Hareket ettikçe yön bulmak için belirlediğiniz işaretler görüş alanınızdan kaybolur ve değişir. İşaretinizin nerede olduğundan yüzde yüz emin olamazdınız. Güneş yükseldikçe hava da ısınmıştı. Başta yavaşça, daha sonra hızla ve sıcaklık kumdan geri yansımaya başladı. Hava ısındıkça, etraf parlamaya başladı. Günün en sıcak saatlerinde yerden üç metre yüksekliğe kadar hava aşırı sıcak olur ve oluşan parlama yüzünden ufuk çizgisinin biçimi bozulur.

Bir saat boyunca yürüyüş sonrasında beş dakika dinlenme olacak şekilde bir düzen oluşturdular. Beck, Peter'a "Bu yürümeye odaklanmak için iyi bir yöntemdir" dedi. "Sana bir amaç verir. Her saat başı beş dakika mola: dinlenmek için yeterince uzun, ancak yorgunluğunu anlaman için uzun sayılmayacak bir teneffüs."

Beck sonraki beş dakikalık molaları sırasında Peter'a, yön bulmayı zorlaştıran ısı pusunu anlattı.

Beck ne olduğunu tarif ettiği zaman, "Tamam," dedi Peter omuzlarını silkerek. "Dediğim gibi yön bulmak için kum tepelerini kullanırız. İç bükey oluşturan yüzü, kuzeydoğuya bakar."

"Evet fakat sorun şu ki, diğer kum tepelerini düzgün bir şekilde görmek için bir kum tepesine çıkmamız gerekiyor. Bu yüzden çöller yön konusunda çok şaşırtıcı olabiliyor."

"Tabi," dedi Peter. "Bir keresinde bir filmde görmüştüm. İki adam yürüyerek çölü geçerken sürekli çevrelerinde daireler çiziyorlardı. Nedeni de eğer sağlaksan sağ adımlarını biraz daha uzağa atarsın ve bu yüzden kendi çevrende dönüp durursun." Kendinden memnun görünüyordu.

"Evet, mantıklı," diye itiraf etti Beck. "Bunu göz önüne alarak, bütün kum tepelerini dikkatle gözetelim!" şaka yapıyordu. "Fakat aslında, şuraya bir bakarsan..." Beck ayaklarının altındaki zemini gösterdi. Gevşek kumun üstünde tıpkı saban sürülmüş bir tarladaki izler gibi şeritler vardı. "Bu dalgacıkları küçük kum tepeleri olarak düşünebilirsin. Büyük kum tepeleriyle aynı prensiplere göre davranır. Rüzgârla şekillendikleri için aynı doğrultuda ilerlerler. Eğer yürürken onları hep sabit açıyla geçersen, doğru yönde ilerliyorsun demektir."

Gözü yere takıldı, kumların arasından çıkan bir çalılık fark etti. "Baksana, burada su olduğuna dair işaretler var." Ayağının ucuyla kumda büyüyen küçük, bodur çalıyı dürttü. Çalının boyu dizlerinin yarısına kadar geliyordu. "Bu kadarı bile hiçbir şey olmadan büyüyemez. Buralarda bir yerde su olması lazım.

Bizim için yeterli olmasa da biraz su var. Etrafta büyük bir bitki görürsen, bir şansımız var demektir. Palmiye ağaçlarına özellikle dikkat et. Yerliler "başlar ışığa, ayaklar suya" derler. Garantisi yok. Su çok derinlerde olabilir ama denemeye değer. Ya da bir hayvan izine rastlarsan, takip et; ayrıca kuşlar ve böcekler suyun üstünde uçabilir. Çevreyi bizden daha iyi bilirler."

"Tamamdır." Peter sözünü verdi. Çenesinde net ve kararlı bir ifade vardı ama Beck, gözlerinin içine baktığında yorgunluğu gördü. Pek şaşırtıcı değildi. Bulundukları yerdeki hava daha şimdiden geldikleri ülkeninkinden çok çok daha sıcaktı.

Şişeyi Peter'a uzattı. "Bir yudum daha al, sonra yola çıkıyoruz."

Başlarının etrafındaki sıcak çiş kokusu gitgide azalan bir rahatsızlık veriyordu. Kokuya karşı bağışıklık kazanmaya başlamışlardı. Ancak susuzlukları artıyordu.

Beck, bunun ne kadarının psikolojik ne kadarının gerçekten ihtiyaç olduğunu düşünüyordu. Sadece kısa aralar vererek birkaç saattir yürüyorlardı. Vücutlarındaki suyu kullanıyorlardı. Diğer taraftan vücudunuz sıcak havayla çevriliyken ve güneş etrafınızdaki kumları döverken bir şeyler içmek zorunda olduğunuzu düşünürsünüz. Her nedense Beck şampuan reklamlarını düşünüyordu. Güzel insanlar, kristal berraklığında su damlaları etraflarında uçuşurken, ağır çekimde başlarını yana doğru savuruyordu. O an Beck'i büyüleyen şey suydu. Su, güzel su.

Bir gözü sürekli şişelerdeki suyun seviyesindeydi ve şişeler gittikçe boşalıyordu. Üstelik şimdiye kadar, Peter'a verdiği bütün ipuçlarına rağmen suya dair tek bir işaret bile bulamamışlardı.

"Başka bir yol daha var."

Peter'ın kolundan çekti ve başıyla yakın mesafede olan uzun bir kum tepesini işaret etti. Diğerlerinden daha yüksekti.

"Oraya çıkacağız," dedi, yüzündeki sargılardan sesi boğuk geliyordu. "Su var mı diye görebilmek için yüksek bir yerden bakalım."

Peter'ın gözleri kumaş kıvrımların arasında saklanmıştı, birazcık gizemli duruyordu. Fakat başıyla onayladı ve uyumlu bir şekilde kum tepesine yöneldi. Tırmanmak yarım saatlerini aldı. Tıpkı yürüyüşlerinin başındaki tepedeki gibi kumlar gevşekti ve ayaklarının altından çökerek kayıyorlardı. En tepeye ulaştıklarında susuzlukları aşırı artmıştı.

Kumdan bir okyanusunun üstünden bakıyorlardı sanki. Kum tepeleri ve kumdan büyüklü küçükşü dalgalar görünüyordu. Ufuk çizgisi kavurucu havanın içinde kaybolmuştu ve ne kadar uzakta olduğunu tahmin etmenin hiçbir yolu yoktu. Birkaç kilometre uzaklıkta olabilirdi ya da ulaşmak için sonsuza kadar yürümeniz gerekebilirdi.

Birdenbire Peter, Beck'in koluna asıldı ve işaret etti. "İşte orda!" Sesi kuru ve hırıltılı çıktı. Ağzını ıslatacak kadar bile tükürüğü kalmamıştı.

"Gördüm," dedi Beck nazikçe. "Sadece bir serap."

Evet, ufuktaki gümüşi parlamayı o da görmüştü. Aşırı ısınmış hava, ışığı tıpkı bir ayna gibi düz şekilde yansıtır. Gözün bir miktar gümüş rengi gördüğünde beynin bunu tek bir şeye yorar: su!

"Hayır, öyle değil. Aşağısına bak."

Beck, ufuk çizgisiyle aralarında kalan mesafenin ortasına baktı. Haklıydı. Her nasılsa, uzağı iyi göremeyen arkadaşı gözlükleri olmamasına rağmen doğru görmüştü. Biraz daha koyu renkli bir çizgi kıvrılarak altın kumların arasında kendine yol açıyordu

Yine de Beck biraz tereddüt etti. Doğu yönünde kalıyordu. Onları rotalarından saptıracaktı. Bazen koyu renkli kum, sadece koyu renkte bir kumdur.

Fakat hemen sonra hareketli bir leke gözüne takıldı. Koyu çizgini olduğu yerden yükseldi ve çevresinde döndü, sonra menzilden uzaklaşmaya başladı. Bir çeşit kuştu, hangi tür olduğunu söyleyemiyordu. Muhtemel bir çöl şahiniydi veya başka bir yırtıcı kuş. Hiçbir kuş sırf eğlencesine çölde yaşamaz.

Hiçbir kuş su olmayan bir yerde de yaşamazdı.

"Sen bir dâhisin Peter," dedi. "Hadi gidelim."

Koyu çizgi, kumuldan aşağıya doğru inerlerken kısa bir süre içinde tekrar gözden kayboldu. Beck, doğuya doğru kolayca yönelmek için güneşi kırk beş derece sağına alarak ilerledi. Bastıkları yer değişerek sertleşti ve daha kayalık bir hal aldı. Çölün içinde gözün görebileceği bir uzaklıkta, kuru bir oyuğun dibindeydi. Yüz metre ileride, mimoza çalısının koyu renkli yumruları vardı.

"Bu bir nehir," dedi Beck. "Kurumuş bir nehir. Kırk yılda bir suyla dolar, tabi o da yağmur mevsiminde..."

Peter birkaç girişimde bulunduktan sonra kupkuru bir ağızla konuşmayı başardı.

"Hadi aşağı inelim," diye fısıldadı.

Kuzeye bakan sağlam, büyük bir kayanın dibine oturdular. Gölgesine adım attıklarında hava fark edilir biçimde hemen serinledi. Kuzeye baktığı için güneşin dokunuşu ulaşamamıştı ve diğer kayalardan farklı olarak ısı yaymıyordu. Gölgede sırtlarını kayaya dayadıkları zaman, aradaki farkı hemen anladılar. Sarıklarından, kumaş sargılarından ve başlarına sardıkları çişli iç çamaşırlarından kurtulabilirlerdi artık.

Beck, Peter'ı gördüğü an gülmesine engel olamadı. Yüzü odun kömüründen gri renge bulanmış, saçları karmakarışık birbirine dolanmıştı ve idrar kokuyordu. Beck kendisinin de aynı durumda olduğunun farkındaydı.

"Güzel bir yürüyüş gibisi yok, değil mi?" diye fısıldadı.

Peter gülümsemek için çabaladı ama sadece ağzı seğirdi. Gözleri hâlâ kapalı bir şekilde arkasındaki kayaya yaslanıyordu. Bitkin görünüyordu.

Beck öne eğildi ve nehre doğru baktı. Tek görebildiği şey daha önce gördükleri dikenli çalıydı.

"Beklesene," dedi ve ayağa kalktı.

"Peki... Nereye gideceksem sanki..." diye mırıldandı Peter.

Yakınlarında duran diken çalısının koyu renkli dalları sıkı bir şekilde kümelenmişti ve koyu yeşil renkli küçük yaprakların arasında dikenler vardı. Bu dikenler tıpkı vahşi bir hayvanın pençeleri gibi keskin ve kıvrımlıydı. Dal boyunca çok fazla yer kaplıyorlardı. Beck dikkatlice ana çalının içinden bir çift dal çıkarttı ve kenarlarındaki dikenleri temizledi. Sonra dalları Peter'a götürdü.

"Mimoza çalıları," dedi hemen Peter.

Bununla birlikte bir şeyler daha söylemeden önce dilini ağzının içinde döndürmek için uğraştı. "Dünyanın bu bölgesinde, Atlas Dağları'nın yakınlarında yetişirler."

"Harbi mi?" dedi Beck, öyle olmasını ümit ediyordu. İçgüdüsel olarak kuzeye baktı fakat kurumuş nehrin aşağısında oldukları için ufku görmesine imkân yoktu ama zaten şu an neye benzediğini biliyordu. Sarı, büyük ve parlaktı. Fakat bir gerçek vardı ki; Atlas Dağları'na yakınlarsa insanlara da yakın olmalıydılar.

Elbette, Afrika'nın dörtte birini kaplayan bir çöldeyken, "yakın" kelimesi göreceli bir kavramdı.

Yukarıdan gelen kulak tırmalayıcı ses, Fas'ın ne kadar uzakta olduğuyla ilgili düşüncelerini rafa kaldırmasına sebep oldu. Kanatları kavisliydi ve kanatlarındaki tüyler maksimum fren gücü sağlamak üzere yayılmıştı. Bir çöl şahini süzülerek tepelerindeki bir çıkıntının üstüne kondu. Gölge yer arayan tek canlı Peter ve Beck değildi.

Beck elleri belinde bir adım geri çekildi. Şahinin yuvasını oluşturan dal koleksiyonunu görebiliyordu. Düşünceli bir şekilde yuvayı inceledi. Çıkıntı yaklaşık dört metre yükseklikteydi, kurumuş nehrin çeperine yakındı ve yuvanın hemen üstünde bir kaya sarkıyordu, yuva bu yönden gelecek her türlü tehlikeye karşı korunaklıydı. Ona ulaşmanın tek yolu uçmaktı ya da çoğunlukla çöl hayvanlarının yapamayacağı şeyi yapmaktı. Tırmanmaktı.

"Yumurtanı rafadan mı yoksa katı mı seversin?" diye sordu Beck.

"Ha?" Peter olduğu yerden doğruldu ve arkadaşının bakışlarını takip etti. "Şaka yapıyorsun!"

"Hayır." Beck çıkarttığı sarığı geri aldı ve üstündeki tozu temizleyerek başının etrafına sarmaya başladı. "Bağlamama yardım eder misin?"

"Şahinin, yuvasını korumaya çalışacağının farkındasın umarım?" diye belirtti Peter.

"Kesinlikle." Beck bu yüzden paraşüt kumaşını başına bağladı ve kayalığa tırmanmaya başladı.

Kolay değildi ancak yuva da çok yüksekte sayılmazdı. El ve ayaklarını koyabileceği sağlam yerler vardı.

Üç dayanak noktan sabit olsun, Beck'in babasının ona söylemiş olduğu gibi: iki ayağın, iki elin var. Sen de birini hareket ettirmeden önce diğer üçünün her zaman bir yerlere tutunduğundan emin ol; ikisi olduğun yerde sağlam durman için, diğeriyse yardımcı oyuncu. Babasının her zaman esprili biri olduğunu hatırladı. Beck başını arkaya doğru yaslamıştı ve gözü yuvanın üstündeydi. Kızgın kuşun kendini savunmak için aşağıya dalış yapmasına karşılık tetikteydi. Şans eseri görüş alanındaki bir hareketlilik elini koyacağı yere dikkat etmesine sebep oldu.

Tam baş hizasında bulunan çıkıntının üstünde bir akrep duruyordu. Beck ve eklem bacaklı göz gözeydiler. Akrep kuyruğunu belli belirsiz kıpırdattı fakat tehdit altında hissediyormuş gibi görünmüyordu.

Şişman kuyruklu sarı akreplerden değildi. Bu akrep çok daha büyük ve koyu renkliydi. Aslında iri olması iyiye işaretti. Genellikle akrepler ne kadar küçük olursa, o kadar güçlü olur.

Bu seferki kocamandı. Beck hangi tür olduğunu bilmiyordu ama çok da önemli değildi. Gözleri parladı. Akreplerin bir yuvasının olmadığı biliyordu. Akrep yumurtaları çatlayana kadar anne akrep kuluçkaya yatardı. Sonra, yavrular kendilerine bakacak büyüklüğe erişinceye kadar yani birkaç ay boyunca annelerine yapışık gezerlerdi. Bu, sırtında beş tane yavru taşıyordu.

"T-tamam..." diye mırıldandı. Kayalık çıkıntıların arasına ayağını güvenli bir şekilde yerleştirdi ve bıçağını bulup çıkardı.

"Sana bir hediye gönderiyorum, Pete," diye seslenirken bıçağını uzattı. "Kenara çekil."

Beck, karın bölgesine doğru bıçağı kaydırırken akrep kuyruğunu kaldırdı ama sonra Beck bileğiyle bir fiske vurarak akrebi havaya fırlattı. Peter'dan uzakta güvenli bir yere düştü ve hemen gölgeye doğru sürünmeye başladı. Peter ne olduğunu görünce içgüdüsel olarak irkildi.

"Bununla ne yapmamı bekliyorsun?" diye kızgın bir şekilde seslendi.

"Ben ininceye kadar üstüne sırt çantası veya herhangi bir şey koy. Pekâlâ..."

Beck dikkatini tekrar kayalığın yüzüne çevirdiği zaman anne kartal ona doğru hava dalışına geçmişti. İlk fark ettiğinde, kafasının arkasına bir darbe almıştı. Çevresini saran kuş tüyleri ve kanat darbeleriyle yarı kör bir hâldeydi. Kuş kulağının dibinde acı çığlıklar attı. Ayrıca pençeleri ve keskin gagasıyla başının çevresindeki sargılarını parçalayıp yırttı.

Beck, en savunmasız parçası olan gözlerini, şahinin pençelerinden korumak için kafasını aşağıya eğdi. Bazı pençe darbeleri derisini çizecek kadar ileri gitti ama hepsi buydu.

Yuvada üç tane yumurta vardı. Pürüzsüz ve üstlerindeki koyu lekelerin dışında beyazdı. Beck dişlerini göstererek bir zafer kahkahası attı.

Yumurtaları cebine atarken şahin öfkeyle onun üstüne atıldı. Beck, "Sen daha gençsin," diye mırıldandı.

"Daha bir sürü bebek sahibi olacaksın..." Aşağıya geri indiğinde kuş pes etmiş görünüyordu. Açıkçası onu korkutmak için üstüne düşeni yapmıştı ve yumurtaların sahibinin artık kendisi olmadığını tecrübelerine dayanarak biliyordu. Kaya çıkıntısının kenarında durdu ve aşağıdaki iki çocuğa doğru baktı ama daha fazla yaklaşmadı.

"Bunlara senden daha fazla ihtiyacımız var," diye mırıldandı Beck.

"Ziyafet başlasın!" diye duyurdu, ayakları yere tekrar dokunduğunda. Üç yumurta kazanmıştı ve onları Peter'ın gözünün önünde zaferle salladı. Bir gözü de arkadaşının akrebin üstüne bırakmış olduğu sırt çantasındaydı.

"Leziz. Çiğ akrebin yanına kırılmış çiğ yumurtalar."

"Pişmiş yumurta," diye düzeltti Beck. "Güneşin altındaki bu kayalardan bazıları o kadar sıcak ki onları pişirebiliriz."

Karşılık olarak ufak bir gülümseme görmekten memnun oldu, fakat Peter'ın gülmesi hızlı bir şekilde soldu ve kendini bir kayaya doğru yasladı. Beck kaşlarını çattı. Arkadaşı biraz titriyor muydu? Sadece yorgunluktan ve su kaybından olabilirdi. Fakat en kötüsü güneş çarpmasıydı. Başına gelen hangisiydi?

Beck, Peter'ın zihinsel olarak çok ama çok güçlü olduğunu biliyordu. Fakat zihinsel kuvvet bir yere kadardı. En nihayetinde düzgün çalışan bir vücuda ihtiyacınız vardı. Bunun için ikisinin de yiyeceğe ve suya ihtiyacı vardı. Enerjiye ihtiyaçları vardı.

Beck dikkatlice sırt çantasını kaldırdı ve bebek akreplerin içine tırmanmış olması ihtimaline karşılık çantayı salladı. Anne akrep hızla sıçradı fakat bir sopa yardımıyla onu sıkıştırdı. Sonrasında sarı akrebe yapmış olduğu yolu izleyerek anne akrebi ve yavruları bölüştürdü. "Akrep ve yumurta zamanı."

Kendilerine tam bir akrep ziyafeti çekmişlerdi.

İçindeki vıcık vıcık akışkanı emerek her şeyi silip süpürdükten sonra kabukları bile hatur hutur yediler...

Beck, doğrudan güneş ışıklarına maruz kalan uzun yassı bir taşı ayağıyla iterek gölgenin başladığı sınıra taşıdı. Dokunmak için fazla sıcaktı. İlk yumurtayı taşın üstüne dikkatlice kırdı. Yumurta taşın üstünde sabit durarak yavaşça katılaşmaya başladı. Pişiyordu!

"Gördün mü? Doğal ocak!" dedi zaferle Beck. Birkaç dakika içinde pişmişti. Beck bıçağıyla yumurtayı kaldırarak yemesi için Peter'a uzattı. İkinci yumurtayı da yemesi için arkadaşını ikna etti. Böylece biraz olsun gücünü geri kazanmasını umuyordu. Üçüncü yumurtayı da kendisi mideye indirdi.

Peter hâlâ yorgun görünüyordu. Beck, kurumuş bir nehirden nasıl su bulunacağını ona gösterecekti ama arkadaşının şimdilik bulunduğu yerde kalmasının daha iyi olacağını düşündü. "Gömleğini ödünç alabilir miyim, Pete?" diye sordu.

Nedenini bile sormadan Peter yorgun bir şekilde öne eğildi ve gömleğini çıkardı. Beck kendini tekrardan sarmaladı ve elindeki gömlekle birlikte temkinli bir şekilde parlak güneşin içine çıktı.

Yaklaşık yirmi metre ilerledikten sonra kurumuş nehir yatağı sola doğru kıvrıldı. Beck ortalama akıntı hızının, nehir veya akarsu dönemeçlerinde en yavaş hızda olduğunun farkındaydı. Suyun daha geç aktığı yerlerdi buralar. Bunun da anlamı, suyun birikmesi ve toprak tarafından emilmesi daha fazla zaman alıyordu. Beck çevresindeki kavrulmuş toprağın üstünde suyun birikebileceği bölgeleri çoktan taramıştı, eğimli yerler veya nispeten alçak zeminler olası yerlerdi. Fakat nehrin kıvrıldığı yer en iyi ihtimalmiş gibi görünüyordu.

Oradaki toprak da kuru ve tozluydu. Beck dizlerinin üstüne çöktü ve bir parça odun alarak kazmaya başladı. Kum neredeyse kazdığı hızla geri doluyordu. Daha güçlü kazdı. Suyun, yüzeyden yarım metre derinlikte bulunabileceğini biliyordu ama daha fazlasını kazmayacaktı.

Bundan daha derine kazmak enerjinizi harcamaya değmezdi. Gidip başka bir yerde şansınızı denerdiniz.

Beck serin ve nemli kumları çıkardığında sırıttı. "Sonunda..." diye mırıldandı.

Gömleğini açmış olduğu çukurun yanına serdi ve çamurlu toprağı üstüne koymaya başladı. Çubuk bir kürek gibi düz olmadığı için toprağı taşımak için avuçlarını kullandı. Ortamda bariz bir şekilde su yoktu fakat kum, annesinin bir zamanlar tatlı kurabiyeler için kullandığı esmer şeker kadar koyu kahverengiydi. Taze toprak kokuyordu. Beck keyifli bir şekilde yığının altındaki gömleği katladı ve kafasını yukarı kaldırdı.

"Pete! Gölgeye geri dön!" diye bağırdı aceleyle. Peter kurumuş nehir yatağının ortasında duruyordu. Kafası ve göğsü çıplaktı. Pantolonu dışında güneşten korunmak için üstünde hiçbir şey yoktu. Uzağı göremediği için karşıya bakmak için kafasını uzatmıştı, güneş ışıkları sarı saçlarına vuruyordu.

Beck yanına koştu ve onu kayalığın gölgesine doğru sürükledi. Peter'ın direnmesi onu çok şaşırttı.

"Hayır," diye geveliyordu. "Ağaçlara gidelim... Ağaçları gördüm... Su..."

"Hayır," dedi Beck, katı bir ses tonuyla. "Görmedin."

Fakat şaşırtıcı derecede bir güçle, Peter kendini çekerek serbest bıraktı ve nehrin kenarına geri döndü. "Orada... Gördüm diyorum..."

Peter'ın söylediği tarafa sertçe baktı; haklı olması tam bir mucize olurdu. Bir vahanın asla nerede olabileceğini bilemezdiniz. Fakat Peter'ın halüsinasyon gördüğünden fazlasıyla emindi. Uzağı iyi görmeyen arkadaşının gözlükleri olmadan görebileceği herhangi bir şeyi, Beck uzun süre önce görmüş olmalıydı.

"Gerçekten üzgünüm, Pete. Maalesef orada bir şey yok..."

Beck nazikçe konuştu ama iç sesi çok öfkeliydi. Evet, çölün içinde hayatta kalmanın birçok yolunu biliyordu ve bir serabın insanın gözlerini nasıl yanıltacağının da farkındaydı. Fakat kimse ona bir arkadaşı sanrılar gördüğünde ne yapması gerektiğini söylememişti.

Peter mücadele etmeyi bıraktı. Gözlerini ufuktaki parlak ışıklara sabitledi ama omuzları düştü. "Gitmiş. Yemin ederim gördüm. Ben..."

O kadar hüzünlü ve kederli gözüküyordu ki; Beck içinde bir burukluk hissetti.

"Hadi dostum." Peter'ı gölgeye geri götürdü. "İçmen için bir şeyler buldum."

Beck gömleği, nemli kum yığınına sarılmış bir kumaş bohçasını, bırakmış olduğu yerden geri getirdiğinde, Peter ilgisizce oturuyordu.

"Başını arkaya yasla," diye talimat verdi. Peter söylenilenleri yaptı. "Ağzını aç..."

Beck bohçayı Peter'ın yüzüne dayadı ve kuvvetlice sıktı. Yukarıdan baskı uygulamaya devam ederek kum yığınını sert bir yumru haline gelene kadar sıkıştırdı.

Bir süre sonra kumaş karardı ve uyguladığı basınçla kumdan çıkan su kıyafetin dikiş yerinden damlalar halinde sabit bir şekilde sızmaya başladı.

Damlalar Peter'ın kuru dudaklarına ve açık ağzının içine düştü. Dudaklarını yaladı.

"Mm! Şimdiye kadar içtiğim en iyi su..." Sesi neredeyse normale dönmüştü. Sonra suyun nereden geldiğini gördü. "Öyleyse, yani açıkça söylemek gerekirse, gömleğimden süzülen suyu içiyorum. Terli gömleğimden?"

"Bence benimkini kullanmaya da razı olurdun."

"Teşekkür ederim, almayayım. Sanırım paraşüt kumaşı suyu geçirecek kadar gözenekli değil."

"Kesinlikle. Şunu elimden alsana" dedi Beck. "Biraz da kendim için alacağım."

Peter gömleğinden biraz daha su emerken, Beck de ıslak kumdan daha fazla almak için çukura geri dönüyordu.

"Şunu söyleyebilirim ki;" dedi Peter, ağzı dolu bir şekilde mırıldandı, "eve döndüğümüzde musluğa bir daha asla aynı şekilde bakmayacağım!"

Bir süre sonra gömleklerini tekrar ıslak kumla doldurdular ve bohçalarını sessizce emdiler. Şişelenmiş kaynak sularından güzel bir yudum almaya benzemiyordu. Ağzınız, kuru ve kirli bir pas tadı ile doluyor ve bu tekrar susamanıza neden oluyordu. Fakat vücutları suyla dolduğundan sürekli su şişelerine uzanmak zorunda kalmadılar. Beck bu sayede tekrar yürümeye başlayana kadar suya ihtiyaç duymayacaklarını fark etti.

Sonrasında biraz uyudular. Bütün gece yürümüşlerdi ve bedenleri çok yorgundu. Bununla birlikte, vücutlarının uzun süre susuz kalması güzel bir uyku çekmek için iyi bir sebepti. Zaten yapacakları çok da bir şey yoktu.

Güneş etraflarındaki çölü cehenneme çevirirken, onlar gölgede uzanıyorlardı. Uyumak en iyi seçenekti.

Günün ilerleyen saatlerinde, Beck bir tane daha konserve açmayı kabul etti. Suyu iyi geldi ve protein onlara enerji verdi. Diğerlerinde olduğu gibi, bunun da dibinde elmaslar vardı. Bu kadar varlıkla dünyadaki en zengin gençlerin kendileri olduğunu düşündü Beck.

Minik ziyafetini tıkıştıran Peter'a baktı. Kendine itiraf etmek istemese de halüsinasyon olayı Beck'i fazlasıyla endişelendirmişti. Peter, şu an, normale dönmüş gibi görünüyordu ama çöle geri döndüklerinde tekrar yıkılacakmış gibi bir havası vardı. Dinlendikten sonra biraz kendini toparlamıştı ama kaybetmiş olduğu enerjinin hepsini geri kazanamıyordu. Çölün katlanarak artan etkileri yavaş yavaş onu tüketiyordu.

Yemek onları yorgun düşürdü; daha kolay uyuyacaklardı.

En azından Peter için durum böyleydi. Kendi köşesine kıvrıldı ve çantasını yastık olarak kullandı. Çok geçmeden horlamaya başlamıştı bile.

Okuldayken yurtta horlayan biri olduğunda, resmi tedavi yöntemi yastık fırlatmaktı. Bu seferlik Beck, arkadaşına müsaade etti. Oturup dizlerine sarıldı ve boş gözlerle kayalık sığınaklarının ötesine baktı. Peter'ın belki de -sadece bir ihtimal- buradan kurtulmayı başaramayacağına dair, ciddi ciddi düşünmek için kendine ilk kez izin veriyordu.

"Yardıma ihtiyacımız var," diye ağzının içinden mırıldandı.

Çölle mi konuşuyorsun, Beck? Şu an, sen de kendini kaybediyorsun...

Hayır, dedi kendi kendine. *Çölle değil, artık kim beni duyuyorsa onunla.*

Doğa üstü güçlere inanmak okulda pek destek gören bir düşünce şekli değildi ama birkaç ay önceki Alaska macerasındaki deneyimleri zaman zaman bir güçten yardım istemenin de güçlü insanlara mahsus bir erdem olduğunu öğretmişti.

Hayatındaki kritik anlarda, tanımlayamadığı güçler yardımına gelmişti. Bir kurdun yol göstermesi sayesinde arkadaşı Tikaani dağların arasındaki geçidi bulmuştu.

Bunu okuldaki bir çocuğa açıklamaya çalışmıştı. Arkadaşı sadece gülmüş ve "tesadüf" diyerek kestirip atmıştı.

Beck'in de bunların tesadüf olabileceğini kabul etmesi gerekiyordu, her ne kadar öyle olduğunu düşünmese de.

Gerçek şu ki, inandığı zaman tesadüfler gerçekleşiyordu. İnanmadığı zaman gerçekleşmiyordu. Beck'in ailesi öldürüldüğü zaman yardım için dua etmişti ve Al Amca'sı onu teselli ederek yanına almıştı. Ailesini her zaman arkasında hissetmişti. Anne ve babası her zaman kuvvetli bir inanca sahiptiler ve Beck böyle bir zamanda yardım istemeyecek kadar gururlu değildi.

Bu yüzden dua etti, çöle değil ama kim sesini duyuyorsa kulak versin diye.

Bunu kendi için istemediğinin farkındaydı. Kendisi için gururundan ödün vermezdi. Duasını her kim duyuyorsa bunu böyle bilmesini umuyordu.

"Lütfen," diye samimiyetle tekrar yakardı. "Lütfen. Peter'ın ölmesine izin verme."

BÖLÜM ONİKİ

Güneş batarken kamp alanlarındaki eşyalarını toparladılar. Akreplerin içine girme ihtimaline karşı, öncellikle ayakkabılarını sonrasında kıyafetlerini ve sırt çantalarını sallayarak kontrol ettiler. Açık gökyüzünde yıldızlar tıpkı elmaslar gibi parlıyordu. Beck'e en başında bu karmaşaya dâhil olmalarına sebep olan şeyi hatırlattı. Kuzey Yıldızı sabırla onları ileriye, Fas'a doğru yönlendirdi.

Çölün sıcaklığı geldiği hızla kayboldu ve tekrar tanıdık bir serinlik bastırdı. Yürüyüş zihinlerini az da olsa boş tutmalarına yarıyordu. Bu gece için Beck biraz daha erken kamp yapmaya karar verdi. Güneşten ısınmış kayaları bulunca ateş yakarak kendilerini ısıtacaklardı. Peter'ın bedeninin iyileşmesi için gereken her şansı ona tanıyacaktı.

Kum tepeleri ayaklarının altında ufalanıyordu. Birkaç adım sonra Peter'ın hızı yavaşladı, hem de çok fazla yavaşladı. Sıradaki kumulu aşmak neredeyse bir saatlerini almıştı oysa sıradan bir tepe olsaydı on dakika içinde aşmış olabilirlerdi. Tepe noktasında durdular, yıldızların altında birbirlerine baktılar sonra öbür taraftan inmeye başladılar.

Peter üç adım attı sonra ileriye doğru yığıldı. Durmadan önce tepenin yarısını yuvarlanarak aştı. Beck uzun ve hızlı adımlarla peşine düştü, tam da karanlıkta yapmaması gereken türden bir hareketti. Göremediği bir engele takılmasıyla oluşacak kırık bir bacağın riskini unutarak ilerledi. Tek düşündüğü şey, karanlıkta kumun üstünde bir karaltı şeklinde yuvarlanan arkadaşına ulaşmaktı.

"Pete? Pete! İyi misin?"

Beck yanına gelene kadar Peter başına kaldırmadı. "Ahh" dedi, zayıf bir sesle. Sonra tekrar kuma bıraktı başını.

"Kımıldama... Dayan..."

Beck elleriyle, arkadaşı kol ve bacaklarına darbe almış mı diye yokladı; kırık bir kemiği işaret edecek herhangi bir belirti aradı. Ancak Peter kımıldayarak kendini yukarı çekti ve kumun üstüne oturdu. işlerin ters gitmiş olması durumunda yapamayacağı bir şeyi yapmıştı.

"Ayağımı boşa attım," diye fısıldadı. "Üzgünüm."

Bütün vücudu titriyordu ve sesi de öyle. Beck soğuktan, yorgunluktan, ya da muhtemelen her ikisi yüzünden mi titrediğinden emin olamadı. Evet, geçen akşamki kadar yürümeme kararı almıştı ama şu anki kadar az mesafe kat edeceklerini de hesap etmemişti. Dün aldıkları yolun çok küçük bir kısmı kadar yol almıştılar ama görünen o ki; gidebilecekleri uzaklık ancak bu kadarmış.

Peter'a, ayağa kalkması için yardım etti.

"Hadi gel birkaç kayalık bulalım," dedi nazikçe. "Tekrar ateş yakacağız."

Uygun bir yer bulana kadar biraz daha yürümek zorunda kaldılar. Geçen geceki gibi onları ısıtacak büyük kayalar yoktu. Buna rağmen, çok fazla sayıda küçük taşın -bir kriket topuyla, futbol topu arasında değişen boyutlarında ve yumru halindeydiler- etrafa yayıldığı bir yere varmışlardı. Beck, bunların çok eski bir nehir veya akıntı tarafından mı sürüklendiğini merak etti. Eğer öyleyse, binlerce yıl öncesinden kalmış olmalıydılar. Zorla olsa da gülümseyerek, bunca yıldan sonra iki çocuğun hayatını kurtaracaklarını düşündü.

El fenerini Peter'a uzattı. "Bana doğru tutsana."

El fenerinin ışığı altındaki Beck, bazı kayaları kısa bir duvar yapmak için yeniden düzenlemeye başladı. Taşlar dokunmak için sıcaktı, gündüz vakti depoladıkları ısıyı geri gönderiyorlardı. Bazılarını tutabiliyordu, bazılarını da zeminde itmek veya yuvarlamak zorunda kaldı. Bu işleri mümkün olduğunca az enerji harcayarak yavaş yavaş yaptı. Onları sıcak tutmak için inşa ettiği sığınak eğer gidereme-yeceği bir susuzluk hissi yaşatacaksa, bu kesinlikle aptalca bir hareket olurdu.

Peter el fenerinin ışığını her kaldırdığı taşın altına tuttu. Kayaların sağladığı sıcaklığı arayan çölün ortasındaki tek canlılar onlar değildi. Bu sayede başka bir akrep daha buldular.

"Gece ziyafeti," dedi Peter. "Leziz."

Beck arkadaşının mizah anlayışını koruduğunu dikkate almıştı fakat vücudu hâlâ tir tir titriyordu.

Beck duvarları, U şeklinde ve yüksekliği bir metreden kısa olarak yerleştirdi. Böylece içine girebilecek ve sıcaklık kayalardan yayıldığı gibi onları ısıtacaktı. Ateş yakma aletleriyle birlikte geçen akşam topladıkları odun parçalarını da getirmişti. Bir tarafta sıcak kayalar, diğer tarafta bir kamp ateşi olan sığınakları, kısa süre içinde sıcacık konforlu bir ortama dönüştü.

Kutlamalar için ikinci şişelerinden ağız dolusu su içtiler. İlkini bir süre önce bitirmişlerdi.

"Bu da azalıyor," dedi basitçe Beck.

Şişeyi ateşin ışığına doğru tutarak salladı ve içindeki suyu çalkaladı. Turuncu renkli alevin ışığı suda kırılıyordu.

"Evet," diye onayladı Beck. Söyleyebilecek başka bir şey yoktu. Sonra bir düşünceyle sarsıldı. Olabilirdi. Emici olmayan suyun akacağı bir şeye ihtiyacı vardı...

Buldu. Sırt çantasını kendine doğru çekti ve içine baktı. İçindeki eşyaları, yanındaki kumun üstüne boşalttı. Az bir çabayla sırt çantasının ters yüzünü çevirdi. Desteklemesi için içine bir tür plastik astardan kaplama çekmişlerdi. Bıçağın ucunu kullanarak plastiklerin yerinde kalmasını sağlayan dikişleri kesmeye başladı.

"Yapabileceğim bir şey var mı?" diye sordu Peter, merakla izliyordu.

Beck duraksadı. Arkadaşının sahip olduğundan daha fazla güç sarf etmesini istemiyordu ama kesinlikle yardımı dokunabilirdi. Çantayı ve bıçağı ona uzattı.

"Şu işi bitirebilirsin," diye önerdi. "Mümkün olduğunca zarar vermeden sırt çantasındaki astarı çıkarıp alabilir misin?

Beck ayağa kalktı ve yakmadığı odun parçalarından birini aldı. Barınaktan birkaç adım uzakta, ateşin aydınlattığı yeri kazmaya başladı. "Bir kuyu kazmıyorsun, değil mi?"

"Maalesef hayır. Fakat bu bize bir miktar daha su sağlayacak."

"İçinde idrar olmadığı sürece bana hava hoş."

Beck duraksadı, sonra gülümsedi.

Peter onun bakışlarını yakaladı ve omuzları düştü. "Var değil mi?" diye sordu.

"Oldukça garip ama evet, var."

Beck kazmayı bitirdiğinde çukur yaklaşık olarak yarım metre derinliğindeydi. Sonra boş su şişesini alıp çukurun dibine dik yerleştirdi. Güldü ve ardından şişenin çevresine çişini yaparak idrarıyla kumları ıslattı. "Şimdi sıra sende" dedi Peter'a.

Ayağa kalkarak o da kendi katkısını sundu. "Evet, ilk aşama tamamlandı," diye duyurdu Beck. "Artık biraz zekâmızı kullanalım!"

Sonra plastik astarı çukurun üzerine gelecek şekilde sürükledi ve kayaları kullanarak gergin tuttu. Astarın çevresini nemin kaçmayacağı şekilde kumla sıkıştırdı. En son olarak ağırlık yapması için plastik astarın üstüne küçük bir taş koydu. Böylece plastik astar, çukurun tepesinden aşağıya doğru uzanan bir koniye benziyordu.

"Bu bir nem tuzağı," dedi barınaklarına dönerken. Peter'ın yanına oturdu ve ısınmak için birbirlerine sokuldular. "Hava ısındığında topraktaki nem buharlaşacak ve yükselirken soğuyup yoğunlaşarak, plastik astarın üstünde toplanacak. Astarın ortasına bıraktığımız taşın ağırlığı sayesinde su ortada toplanarak şişenin içine damlayacak. Sanki suyu havadan toplamışız gibi temiz su elde edeceğiz, bu arada gerçekten de öyle!" dedi ve gülümsedi. "Bedeviler de aynı yoğunlaşma prensibinden faydalanırlar.

Güneşin doğuşundan hemen önce kayaları ters çevirirler, böylece serin tarafını yoğunlaşma için kullanırlar. Fakat biz güneş doğarken yolda olacağız, onun için bu yöntemi uygulayacağız. Aslında çok basit."

"Peki nem astara ulaşınca, yine bildiğimiz su mu olacak?" dedi Peter, kafasındaki endişeleri gidermek için.

"Tabii ki. İdrarın içindeki bütün su buharlaşacak ve şişeye dolacak. Abrakadabra!" İkisi de kahkaha attı.

"Biliyor musun," dedi Peter düşünceli bir şekilde, "muhtemelen bu tür bir tatil için para ödeyecek insanlar vardır!"

Geceyi düne göre biraz daha az soğukta geçirdiler. Sığınakları daha kapalıydı. Taşların ve ateşin ısısı onları sıcak tutuyordu. Sırt sırta verip yattılar. Peter bir kez daha anında uykuya dalabilmişti ama Beck hâlâ ara sıra arkadaşına titreme geldiğini hissedebiliyordu. Beck'in içi eziliyordu.

Peter'ın bir önceki sabaha göre biraz daha kötü uyanacağını biliyordu. Şimdiye kadar gözlemlediği kadarıyla büyük bir çöküntü yaşamaya çok daha yakındı artık ve herhangi bir iyileşme belirtisi göstermiyordu. Üstelik önlerinde aşılması gereken kilometrelerce yol vardı.

BÖLÜM ONÜÇ

Çocuklar bir kum tepesinin zirvesine doğru ilerlerken birden durdular. Şafak sökerken gördüklerine inanamıyorlardı.

"Bu bir..." diye başladı Peter ve duraksadı.

Beck ona doğru döndü ve yüzündeki sargıların altından sırıttı.

"Yola arabayla devam etmek ister misin?"

"Sanırım çalıştığı günler çok geride kalmış..."

Kum tepesinin diğer tarafından aşağıdaki kamyonete doğru kaydılar.

Çöldeki üçüncü günlerinin başlangıcındaydılar. Şafak vaktinden kısa bir süre önce yola koyulmuşlardı. Nem kapanı az da olsa biraz su biriktirmişti. Sadece birkaç santim kadardı ama dilleri ve dudakları her bir damlanın tadını çıkartmıştı.

"En ufak damlasına kadar yararlan," diye hatırlattı Beck.

Peter'da sadece kafasıyla onaylamıştı. Hayır, belki daha iyi hissettirmemişti ancak bu birkaç damla su olmasaydı şu an daha kötü bir hâlde olurlardı. Çocuklar kuzeye doğru çölün içinde ilerlerken gökyüzü aydınlanmıştı ve çevrelerini saran kum tepeleri saklandıkları karanlıktan ortaya çıkmışlardı. Beck, Peter'ın gayretini fark etmişti, her zaman en az bir adım daha önde ilerliyordu. Beck'i geride bırakmamaya kararlıydı. Arkadaşının gücünün ne kadarını kullandığıyla ilgili hiçbir fikri yoktu Beck'in ama Peter'ın iradesine olan hayranlığı her dakika artıyordu.

Önlerindeki kum tepesine tırmandıktan sonra kamyoneti gördüler. Yarısına kadar kumun içine gömülüydü. Kamyonete yaklaştıkları sırada Beck'in bir gözü Peter'ın üstündeydi ama arkadaşı sağlam duruyordu. Sadece bir kez düşmüştü. Beck, arkadaşının gözlerinde kararlılık, adımlarında dikkat ve ölçülülük fark etti. Kendi bacaklarının ağrıdığını hissetti; ağrısı öncekine göre artmıştı. Her şeye rağmen belki de şansları dönmek üzereydi. Beck'in babası daima şafağın, gecenin en karanlık zamanından sonra geldiğini söylerdi.

Durumları kesinlikle Beck'in düşündüğü kadar karanlıktı.

Zihninin derinliklerinde zayıf bir fikir parlamaya başladı. Kamyon çok eskiydi. Beck 1960'lardan kalmış olabileceğini düşündü, hatta belki biraz daha eski olabilirdi. Kumda hiçbir lastik izi yoktu, buraya nasıl geldiğine dair hiçbir ipucu yoktu. Çöl bütün izleri ortadan kaldırmıştı.

İkinci Dünya Savaşı sırasında eski çöl muharebeleriyle ilgili birkaç şey duymuştu: El Alameyn ve Gazala. İngiliz ve Alman orduları taşıtlarını çölde bırakmıştı, hâlâ terk edildikleri gündeki gibi yeni görünüyorlardı. Kuru çöl havasında hiçbir şey paslanmazdı ve deri koltukları yiyip bitirecek küf oluşamazdı. Kum yüzünden üzerindeki boyalar sökülmüş araç mat, metalik bir renk almıştı.

"Şoföre ne olduğunu merak ettim," dedi Peter.

"Hmm." Beck şoföre neler olduğunu merak etmek istemiyordu. Belki onlardan birkaç metre aşağıda kuma gömülü yatıyordu. Belki de yürüyerek çölü aşmaya çalışmıştı ve çöl tarafından yutulmuştu. Bunları düşünmemek için kendini zorladı.

Aracın ön tarafı çölün ortasındaki Titanik gibi kumun içine batmıştı. Beck'in aklına hemen, işe yarayacak herhangi bir şey için enkazı araştırmak geldi ama hiçbir şey bulamayacağını tahmin etti. Motorun içinde bir zamanlar su olsa bile çok uzun zaman önce kurumuş olmalıydı. Aracın motor kumların içinde boğulmuş olmalıydı; yolcu kabininin yarısı zaten kumla doluydu.

Fakat kamyonetin arka kısmı işlerine yarayabilirdi. Eski, üst tarafı açık bir kamyonetti. Arka tarafında tahtadan oyulmuş uzun dikdörtgen kutular taşıyordu. İçlerinde olan her şey gitmişti ama kutular kalmıştı.

Beck baltasını çıkarıp kuru ve düz tahtaları keserek iyi miktarda stokladı. Bir sonraki kamplarında güzel bir yakacak olacaktı. Sonra kutulardan birini çekip çıkardı ve dikkatlice kaldırdı. Bir metre genişliğinde, bir buçuk metre uzunluğundaydı ve muhtemelen çiftlik hayvanlarının nakliyatında kullanılıyordu. Tabanı sağlam ve hafif tahta plakalardan yapılmıştı. Yan taraflarındaki suntaların aralarında hava ve ışık girişi için boşluklar vardı.

"Sence ikimiz bunun içine sığar mıyız?" diye düşünceli bir şekilde sordu.

Peter, arkadaşının delirdiğini düşünerek sabit gözlerle Beck'e baktı.

Beck kararını vermişti. "Kısa bir mola zamanı. Bana çantanı ver, biraz daha kumaşa ihtiyacım var."

"Çok fazla kalmadı" diye uyardı Peter.

Kamyonetin gölgesinde dinlediler ve Beck, haklı olduğunu anladı. Sığınak ve çeşitli sarmalama işlemlerinden sonra kaynaklarının çoğunu kullanmışlardı. Sığınak için kullandıkları kumaşları herhangi bir yırtılma ihtimaline karşı kullanmak istemedi.

Yine de sandığın etrafına sarmaya yetecek kadar kumaş ve onu bağlamak için kordonları vardı. Kutunun üstünü içine girebilmeleri için açıkta bıraktı. En son olarak, her biri yaklaşık iki metre uzunluğunda birkaç kordon kullanarak kutunun ön tarafına bağladı. Sonrasında kordonları eline aldı ve düzenli adımlar atarak ilerledi. Kordonlar gerildi, kutu altındaki kaygan kumaş yüzeyi sayesinde, kumun üstünde kayarak Beck'i takip ediyordu. Neredeyse hiç sürtünmeden ilerliyordu.

"Ne olduğunu bana söyleyecek misin, yoksa kendim mi tahmin edeyim?" diye sordu Peter. "Peki, bunun çişle bir ilgisi yok, değil mi?"

Beck çekme halatlarından birini ona verdi, "Sadece çok heyecanlanırsan," dedi.

Yeni icatları peşlerinden sürüklenirken yürümeye devam ettiler. Hafifti ama biraz da olsa hâlâ onları geri çekiyordu. Beck, bunu en azından bir seferliğine deneyebileceklerine karar verdi. Eğer işe yaramazsa geride bırakacaklardı. İşe yaramayan bir şey için enerji harcamanın hiçbir anlamı yoktu.

Bir sonraki kum tepesi önlerinde yükseldi. Yukarı doğru yol almaya başladılar. Tek eliyle halatı çekmek gittikçe daha çok zorlaşıyordu. En sonunda zirveye ulaştılar ve pürüzsüz bir eğimle aşağıya uzanan kumlara baktılar.

"Tamam," dedi Beck. "Deney zamanı, hadi içine atla."

Peter kıpırdamadı. "Bunu sürecek miyiz?" diye şüpheyle sordu.

"Evet, sürüyoruz."

Beck kutuyu eğimin başladığı kıvrıma oturacak şekilde yerleştirdi.

Peter dikkatli bir şekilde içeri girdi ve ön tarafa oturdu. Bacaklarını topladı ve iki eliyle dizlerinden kavradı. Beck hâlâ kızağın dışında ayaktaydı, kızağa atlamadan önce gerekli olan itici gücü vermek için hazırdı.

"... iki... üç..."

Kutuyu ileriye doğru itti ve tam eğimin başındayken içeri atladı. Bir an için çok ağır olduklarından bunun işe yaramayacağını düşündü. Yavaşça kayarak kısa bir mesafe ilerlediler fakat kumaş sorunsuz bir şekilde kumun üstünde kayıyordu ve kısa sürede hızlandı. Beck, ağırlık merkezini değiştirerek sürtünme kuvvetini azaltmak için biraz geriye yaslandı. Kızağın burnu havaya kalktı. Peter çığlık attı, daha fazla hızlanmışlardı. Altlarındaki kum tıslıyordu ve hava yüzlerini fırçalıyordu. Tıpkı bir sürat teknesinde gibiydiler!

Sonra kızakları kum tepesinin bittiği yere çarptı ve düz zeminde ilerlemeye çalışırken aniden durdu. Beck öne Peter'ın olduğu yere fırladı.

"Oof!"

Kendilerini dikkatlice tahta kutunun dışına atmışlardı.

"İyi misin?"

"Disneyland'daki su kaydıraklarından çok daha iyiydi!" Peter ayaktayken dizleri titriyordu ama Beck bu duruma alışmıştı. Ani çarpmadan dolayı darbe almışa benzemiyordu.

Geriye dönüp kum tepesine baktılar. Kızak, kumulun bir yüzünde tepeden aşağıya kadar uzanan koyu renkli bir çizgi bırakmıştı. Beck yolun her zamanki hızlarıyla on beş dakika kadar süreceğini tahmin etti. Ayrıca boşuna güç ve su tüketecek, yorgun ayaklar ve kumla dolu ayakkabılarla tamamlamış olacaklardı. Oysa otuz saniyeden daha kısa sürede başarmışlardı bunu.

"*Anneciğim tekrar binebilir miyiz?*" Peter tiz çocuk sesiyle sordu.

"Bir dahaki sefere, bir kum tepesi daha bulunca bineriz," diye söz verdi Beck.

"*Yaşasın*..."

Güneş onları durduracak yüksekliğe çıkana kadar hâlâ en az bir saatleri vardı. Beck, bu süre içinde iki veya üç tane daha kum tepesini aşmış olacaklarını düşünüyordu. Ağız dolusu sularını alarak tekrar yola koyuldular.

***

Başka bir kum tepesi ve sonra başka bir tane daha... Hepsi birbirine karışmış tek bir kum tepesi gibiydi. Beck herhangi bir kum tepesinin detaylarını hatırlamadığını fark etti çünkü hiçbirinin kendine has bir özelliği yoktu. Sanki son üç gündür tek bir kum tepesini asmak için uğraşıyorlarmış gibi geliyordu.

Fakat üçüncü kum tepesinin zirvesindeyken artık bir fark görebiliyorlardı. Önlerindeki zemin çok daha düzdü. Hâlâ her taraf kumdu ama artık büyük tepeler yoktu. Yeryüzü hafifçe yükselip iniyordu. Bundan sonrası için bir kızağa ihtiyaçları kalmamıştı.

Daha da önemlisi artık ufuk çizgisini görebiliyorlardı. Aşırı ısınmış hava yüzünden bir şeye odaklanmak hâlâ imkânsızdı ama en azından göz kamaştıran parlaklığın içinde bir cismin yükselerek sabitlendiğini görüyorlardı.

Sağlam bir zemin ve sarp kayalıklı uçurumlar... Beck büyük bir açgözlülükle kendine bir manzara ziyafeti çekiyordu.

"Dağlar! Atlas Dağları'nın başlangıcı!"

Peter arkadaşının yanına geldi. "Aslında Anti-Atlas." Sesi hiç olmadığı kadar sertti. Ağzında hâlâ konuşmak için yeterince tükürük yoktu.

"Sadece Atlas Dağları'nın etekleri..." diye açıkladı Beck'in meraklı bakışlarına karşılık olarak. "Ama evet, teknik olarak Atlas Dağları diyebiliriz."

Yanlarında getirdikleri tahta sandığı son bir kez kullanmak üzere yere bıraktılar. Beck, aşağı inmeden önce son defa mutlu bir bakış attı manzaraya. Muhtemelen dağın eteklerine bugün ulaşamayacaklardı hatta belki yarın bile. Üstelik eteklerine ulaşsalar bile hâlâ dağın üstünü aşmak zorundaydılar. Yine de tüm zorluklara karşılık yolun sonuna gelmiş gibi hissediyorlardı. Neredeyse... Tıpkı uzun bir araba yolculuğunda henüz varmanıza saatler olmasına rağmen gideceğiniz yeri ilk gösteren trafik işaretini görmek gibiydi karşıdaki dağları görmek.

Ama sonra beklenmedik bir şekilde Peter yere yığıldı.

Son büyük kum tepesinden de kızakla sörf yaparak indiler. Kızağın altındaki kumaşı birlikte topladılar ve sandığı orada bırakarak tekrar yola koyuldular. Dağlar sıcak pusun arkasına bir kez daha gizlenmişti ve günün sıcaklığı gitgide artıyordu ama Beck mola çağrısını yapmadan önce az daha ileride olmayı planlamıştı.

Sonra Peter karnına yumruk yemiş gibi aniden iki büklüm oldu.

"Pete?" Bir an için Beck, arkadaşının ayağının bir şeylere takıldığını sandı. Fakat tıpkı çölün ortasında hasta olduğu zamanki gibi inledi ve yüzündeki sargıları parçaladı. İçi bomboş olana kadar kustu. Elleri ve dizlerinin üstüne çömelmiş sarsılıyordu. Beck onu tamamen yığılmadan hemen önce tuttu. Arkadaşı kasılırken çaresizce izliyordu, içine bir acı dalgası yayıldı.

"Kramp..." Peter kenetlenmiş dişlerinin arasından fısıldadı. Yüzü pancar gibi kırmızı bir renk almıştı, belinden destek alarak ayakta duruyordu. "Acıyor..." Parmaklarını bacağındaki kramp girmiş kaslarının üstüne bastırdı.

Beck oturması için yardım etti. Sonra çabucak çıkarttığı sargıları toplayıp başına tekrar sardı. O sırada alnına dokunma fırsatı bulmuştu. Ateş gibi yanıyordu ve üstelik kupkuruydu. Bir damla ter yoktu üstünde. Beck'in kalbi hızla atmaya başladı. Ter yok, ateşler içinde yanıyor, mide bulantısı, kramplar, kırmızı bir surat... Beck, kumaşların altında fark edememişti, Peter, şiddetli bir sıcak çarpmasına doğru yürümüştü.

Vücut terleyerek kendini soğutur. Susuzluk çok yüksek bir seviyeye çıktığında artık terleyemez hale gelir ve kendini soğutamaz. Peter'ın suratı kırmızıydı, çünkü cilde yakın kan damarları genişlemişti. Vücut kendini soğutmak için daha fazla kan pompalıyordu. Şu an için durum böyleydi.

Kaçınılmaz olarak tansiyonu düştükçe rengi de soluklaşmaya başlayacaktı. Organları iflas edecekti.

Bilinç kaybı onu takip edecek ve sonrası zaten ölümdü. Peter titriyordu. "Üşüyorum," diye mırıldandı. "Bu çok saçma. *Donuyorum...*"

Beck tüm olanların farkındaydı. Büyük bir kasvet içinde düşündü: ateşler içinde yanarken titremek bütün diğer belirtilerin ötesinde bir işaretti. Peter'ın nabzını kontrol etse dakikada belki de 160 vuruştan fazla çıkacaktı. Ölçmesinin bir anlamı yoktu.

Beck Peter'ın hastalanmış olduğu yerde ona doğru bakıyordu. Tek düşünebildiği şey arkadaşının harcamış olduğu sıvıydı.

"Üzgünüm." Peter nazikçe onu itti ve ayaklarının üstüne kalkmayı çalıştı. "Sana ayak bağı olamam. Devam etmelisin..."

Sallanıyordu ve Beck onu tutmasaydı tekrardan devrilebilirdi.

"Bugünlük bu kadar yolculuk yeter, Pete" Beck canlı ve neşeli bir ses tonu için kendini zorladı. *Eğer yardım almazsak, yakında öleceksin* demekten çok daha iyiydi.

"Ne? Burada mı?" Peter kanlı gözlerle etrafına bakınıyordu.

Beck ne demeye çalıştığını anlayabiliyordu. Çevrede gevşek kumdan başka hiçbir şey yoktu. Kayalar, eğimler, kısacası hiçbir şey... "Sığınağı buraya kuracağım" diye son sözünü söyledi. "Güneş gittiğinde tekrar ateşin düşecek..." Fakat bunlar vücudunun yeniden sıvı almasına yardımcı olmayacak diye aklından geçirdi.

"Orada ne var, vaha mı?" Peter titreyen ufka doğru bakıyordu ve ileriye doğru birkaç adım attı. Beck onu tekrar yakaladı. "Orada vaha yok, Pete" diye mırıldandı. Buna rağmen gözden kaçırmış olduğu bir şeyleri Peter'ın fark etmiş olması durumuna karşı etrafına hızlıca bir göz attı. Hiçbir şey yoktu. Çok fena olduğunu düşündü. Demek halüsinasyonlar geri dönmüştü. Arkadaşının ilk vaha gördüğünü sandığı zaman bu konuda bir şeyler yapmadığı için kendisine çok kızdı. Belki de sıcak çarpması ilk o zaman başlamıştı. Bunu yaşadıkları zaman, bir şeyler yapmış olmalıydı.

"Bu da mı?" Peter zorlukla birkaç adım daha ilerledi.

Beck onu izledi, umutsuzca yardımı dokunabilecek herhangi bir şey için yeryüzüne bakıyordu. "Bak Pete, Bir kum tepesinin kuzeye bakan yüzünü bulacağız..."

"Ama..." Peter, acınası bir hâlde boşluğu işaret ediyordu. "Orada..."

Beck acı bir şekilde önceki gece ettiği küçük duasını hatırladı. *Lütfen. Peter'ın ölmesine izin verme*, demişti.

Tekrar etrafına baktı. Pusların içinde koyu renkli bir şey *vardı*. Gözlerini kısarak baktı. Bir palmiye ağacına benziyordu. Uzun boylu ve ince; sivri yaprakları tepesinde kümelenmişti. Hemen yanında pusun dağılmasıyla bir tane daha ortaya çıkmıştı. Yaklaşık iki yüz metre ilerideydi. Bunu nasıl kaçırmıştı?

"İnanılmaz!" diyerek derin bir nefes aldı. "Aslında gerçekten de bir vaha olabilir!"

BÖLÜM ON DÖRT

Peter yorgun ama vakur bir gülümsemeyle arkadaşına döndü. "Gördün mü? Sana dün demiştim..."

"Ah, kesinlikle... Tabi ya, dün burayı görmüştün!" Bir gün önce, Peter'ın vaha gördüğünü sandığı zamanları hatırlayarak cevabı yapıştırdı.

Atışmalarına devam ederken vahaya doğru ilerliyorlardı. Peter aslında kendine göre koşmaya çalışıyordu ama Beck ona ayak uydurmak için adımlarını kısa tutmak zorunda kaldı.

Kısa bir süre içinde küçük bir çukurun başına geldiler, kumun içinde çok da derin olmayan çukur bir tabak gibiydi. Altında ne kadar derinden aktığı belli olmayan bir yeraltı nehrinin kaya katmanları arasında kısılmış su rezervleri, bir miktar yeraltı basıncıyla yukarıya çıkmış uçsuz bucaksız çölün ortasında bu küçük yeşil bölgeyi meydana getirmişti.

Sığ, bulanık bir su birikintisi vardı. Çapı iki veya üç metreden daha geniş değildi. Buharlaşmasını engelleyen şey, iki hurma ağacıydı. Yan yana duran zarif gövdeleri topraktan dışarıya çıkarak, on beş metreden daha yükseğe görkemli bir şekilde uzanıyorlardı. Her biri, neredeyse bir ağaç boyunda olan geniş ve uzun dikenli yaprak kümeleriyle taçlandırılmıştı. Hurmalar yaprakların arasından sarkıyordu, buruşuk ve renkleri donuk yeşildi. Ağaçlar, vahanın güney kenarında duruyordu ve gölgeleri suya vuruyordu. Üçüncü palmiyenin yıkılmış gövdesi yakınlarında duruyordu.

Çalı kümeleri vahanın sınırlarını belirliyordu. Tıpkı düzensiz bir bahçenin sınırları gibi duruyordu. Kuzey rüzgârlarının dev bir saç kurutma makinası kadar etkili ısısını filtreleyerek yumuşak bir esinti haline dönüştürüyordu.

Çocuklar için vaha cennet gibiydi.

"Tamam," diye mırıldandı Beck, "Hadi seni iyileştirelim."

Yapılması gereken en bariz şey, onu su birikintisine atmak ve soğumasını beklemekti ancak Beck bu isteğine karşı koydu. Su birikintisi tek su kaynaklarıydı ve onu kirletecek bir şey yapmamalıydı. Onu içmek zorundaydılar. Ayrıca bu mekâna daha önce gelerek suyu temiz tutan insan veya hayvanlara, yani kısacası diğer canlı türlerine bu kadarını borçluydular. Ancak yapılması gereken ilk şey sıcak çarpmasına maruz kalan felaketzedenin her ne olursa olsun vücut ısısını düşürmekti.

Peter'ın tamamen gölgede kaldığından emin oldu. Tek bir güneş ışığı bile doğrudan üstüne düşmeyecekti.

"Peki," diye söze başladı, açıkça yapması gerekenleri söyledi. "Kıyafetlerini soy" Güneşin altında kıyafetleriniz sığınağınız olur ama gölgedeyken kıyafetler sadece sizi daha sıcak tutar bu yüzden bir an önce kurtulmanız gerekir.

Peter'ın tartışacak gücü yoktu, çok sersemlemiş bir hali vardı. Beck havuzdaki suyla şişeleri doldururken arkadaşı da kıyafetlerini çıkartıyordu. Suyun çıkardığı sesler cennetten geliyor gibiydi.

Sonra, Peter'ın yavaşça su içmesine izin verdi. "Tek seferde yutma," dedi. "Yavaş yavaş yudumlamaya çalış. Önce ağzını ıslat. Vücudunun suyu fark etmesi içi zaman tanı. Gerçek bir su tesisatı gibi düşün."

Beck kamyonetten aldığı tahta parçalarından birini çıkardı ve yere bir çukur kazmaya başladı. Çok büyük olmasına gerek yoktu, altmış santimetre genişliğinde ve Peter'ın uzanabileceği uzunlukta olması yeterliydi.

"Beni şimdiden gömecek misin?" diye homurdandı Peter, yüzü hâlâ kıpkırmızıydı. Hâlâ sıcak çarpmasının etkisi altındaydı. Her şeye rağmen Beck sıska arkadaşına doğru sırıtmak zorunda hissetti. Alaska'daki macerası aklına geldi. Kendisi ve arkadaşı Tikaani, hipotermiden kaçınmak için ıslak kıyafetlerini tamamen çıkartmak zorunda kalmışlardı.

"Buraya uzanmalısın," diye talimat verdi. Peter'ın kazdığı çukura girmesine yardımcı oldu.

Peter'ın gözleri şaşkınlıkla büyüdü. "Burası gerçekten de serinmiş!"

"Tabii ki. Otuz santimetre kadar aşağıya inersen ve sıcaklık altmış derece kadar düşebilir. Bekle geliyorum."

"Başka nereye gidebilirim sence?" Peter mantıklı bir sormuştu.

Beck şişeleri alıp havuzun yanına götürdü ve suyun dibine daldırdı. Sonra Peter'ın yanına geri döndü ve sinsi bir gülümsemeyle başında dikildi.

Birazdan gerçekleşecek olayı anlayınca Peter'ın yüzü asıldı.

"Ah, hayır!"

"Soğumalısın dostum."

"Peki, yap hadi..."

Peter gözlerini sımsıkı kapadı ve Beck hayat veren buz gibi temiz suyu üstüne dökmeye başladı. Yavaş ve titizlikle iki şişeyi suyu Peter'ın bedenine döktü.

Suyun verdiği keyifle Peter derin bir nefes aldı.

"Bir daha asla duş alırken soğuk sudan şikayet etmeyeceğim," diye söz verdi. "Soğuk suyla duş almak harika."

Şişeler boşaldığı zaman Beck onları tekrar doldurdu ve bu sefer bir parça kumaşın üstüne döktü. Kumaş suyla tamamen ıslanınca arkadaşına doğru uzattı. "Koltukaltlarının ve özel bölgelerinin üstünde gezdir. Buralar en çok ısınan bölgeler."

Kumaşı biraz daha ıslatarak arkadaşının çevresini sarmayı düşündü ama sonra bunu yapmama kararı aldı. Peter'ın nemli cildi esen rüzgârla çok kolay serinleyebileceği için hava akışını engelleyecek herhangi bir şeyin olmasına gerek yok diye düşündü. Böylece su şişelerini tekrar doldurdu ve direkt olarak üstüne döktü.

Kısa süre sonra Peter'ın rengi öncesine göre çok daha az kırmızıydı ve yüzündeki bitkinlik ifadesi azalmıştı.

"Nasıl hissediyorsun?" diye sordu Beck.

"Berbat," diye cevapladı son derece içten.

Beck sırıttı. Bu ses tonu umut vericiydi.

Peter'ın yardım etme taleplerine karşı koyarak sığınağı hazırladı. "Eğer yardım etmek istiyorsan," diyerek devam etti, "iyileşmeye bak. Yani, bunu yapana kadar orada öylece uzanacaksın."

Sonra Beck kendi susuzluğunu gidermekle uğraştı. Çamurlu cennet suyundan büyük ve serinletici yudumlar aldı. Sarığını ıslattı ve tekrar başının etrafına sardı. "Cennet" diye mırıldandı ve bu vahanın başka insanları da kurtarıp kurtarmadığını düşündü. Bu sırada Peter kumaş sığınağın ve hurma ağaçlarının gölgesinde suyla ıslatılmış serin hendeğin içinde uzanıyordu.

Eğer bu da onu soğutamazsa, hiçbir şey bunu yapamazdı. Böylece, Beck bir sonraki önceliğini düşündü...

"Evet," diyerek ellerini ovuşturdu ve çevresine bakındı. "Yemek!"

Yakındaki ağaca baktı. Gövdesi çok dik değildi, yaklaşık on derece kadar eğimliydi.

"Evet," dedi tekrar, tepedeki hurma salkımlarına doğru bakarak. "İlk olarak sen."

Normalde böyle bir ağaca tırmanmak için Beck, bacaklarını gövdeye dolayarak, elleriyle kendini yukarıya çekerdi. Fakat hurma ağaçları kolayca sarılarak kendini yukarıya çekebileceğin türden bir ağaç değildi. Gövdesi, ayrı ayrı kabuk parçalarının üçgenler şeklinde çakışması sonucu oluşmuştu. Pullu zırhını giymiş bir çeşit çöl canavarını andırıyordu ve pulları aşırı keskindi. Beck, birkaç insanın bacaklarının derisini ve hatta vücutlarının çeşitli yerlerini parçalamış olduklarını duymuştu. Bu yüzden ayaklarını parçalar arasındaki boşluklara yerleştirerek yavaş ve dikkatli bir şekilde tırmanmalıydı.

Buna rağmen çok zamanını almadı. En tepedeyken vahaya doğru üstten baktı, onlara ait küçük bir çöl krallığındaydılar. Sığınağın arkasındaki Peter'ın sadece yere yapışık ayakları görünüyordu. Sonra yüz seksen derece dönerek bütün ufku taradı. Güney, batı ve doğu, kum ve ısı pusundan başka hiçbir şey yoktu. Kuzeydeki dağlar, gökyüzüne dokunacak kadar uzanmış kirli kahverengi bir çizgi şeklindeydi. Dağlara en son baktığı zamandan biraz daha yüksek göründüklerini düşündü. İyi bir haberdi bu. Gittikçe yaklaştıkları anlamına geliyordu.

Beck hurma salkımlarını dikkatlice inceledi. Üç veya dört tanesine kolay ulaşılabilirdi. Salkımların ağırlığı yüz kilodan fazlaydı ve bu yüzden hurmalar dikey olarak aşağıya sarkıyordu. Olgun hurmaların rengi sarı olur, yeşilse ham ve acı olduğu anlamına gelir. Sarımtırak bir salkım seçti ve sapından baltayla kesti. Tok bir ses çıkartarak yere çarptı.

Sonra kolay uzanabildiği hurma yapraklarının hepsini kesti. Yeryüzüne doğru nazikçe süzülerek iniyorlardı.

"Ne yapıyorsun?" diye bir ses geldi. Aşağıya baktı. Peter sığınağın dışından ona bakıyordu.

"Uzansana!"

"Neden yaprakları kesiyorsun?"

"Pişirince yenilebilirler. Uzan dedim sana."

"Biliyor musun, öylece uzanmak gerçekten çok sıkıcı."

Beck yavaşça aşağıya doğru inmeye başladı. "Pete. Lütfen. Sadece uzan. Üstüne dökmek için biraz daha su getireceğim."

Peter ağzının içinde bir şey söylenerek çukurun içine geri uzandı. Beck arkadaşı yüzündeki geniş gülümsemeyi görmesin diye başını çevirdi. Peter'ın söylenecek enerjiye sahip olmasının tek bir anlamı vardı, ölmüyordu.

Palmiye ağacının keskin parçaları yukarıya doğru bakıyordu. Beck aşağı inerken kolaylıkla saplanabilirlerdi. Yere yeterince yakın olduğunda kollarını gövdeye dolayarak ustalıkla kendini aşağıya bıraktı.

"Bir çeşit kaba ihtiyacımız var" dedi yere ayak bastığında. "Bu şişeler olmaz. Ateşte yanmayacak bir şey olmalı."

Bir süre düşündükten sonra Peter, "İlk yardım çantası" dedi.

"Heh, tabi ya."

Beck bunu tamamen unutmuştu. Uçaktan almıştı, çünkü almaması aptalca olurdu. Fakat şimdiye kadar hiçbir şey için kullanmamıştı. Metalden yapılmış küçük bir kutuydu. Sırt çantasından dışarıya çıkardı ve memnuniyetle başını salladı. Evet, bu işini görürdü. Aslında birkaç amaç için daha kullanılabilirdi.

Beck içindekileri sırt çantasının gözüne aktardı. Sonra baltasını alıp üçüncü palmiyeye doğru yöneldi, diğerlerinin hemen yanında yere serilmiş uzanıyordu. Esen rüzgârlar kumu bir tarafında toplamıştı. Beck ağacın kabuğunu kaldırmak için ilk kez bıçağını kullandı. Güneş ışınları üstlerine düştüğü anda öfkeyle kıvrılan böceklere ve kurtçuklara bakarak sırıttı.

"Of hayır, kaçamazsınız," diye mırıldandı ve onları ilk yardım çantasının içine süpürdü. Kapağı kaldırdı ve dikkatlice inceledi. Kural basitti, üstü tüylü veya derisinde siyah lekeler olanlar yenmezdi.

Tüylü olanlardan yoktu ama muhtemelen birkaçı diğer türe uyuyordu. Belki siyah sayılmazdı ancak kesinlikle renkleri değişmişti. Beck, risk almamak için onları da çıkardı.

Pete buna çok sevinecek diye düşünürken kendi kendine gülümsedi. Kabuktaki küçük bir alanı temizlemişti ve baltasını iki eliyle kaldırarak gövdeye doğru hızlıca indirdi, tekrar ve tekrar salladı, ta ki bir parça tahta takoz kesip çıkarana kadar vurdu. İstediği kadarını alıncaya dek ağacı kesmeye devam etti.

Peter'ın yanına elinde bir kutu dolusu böcek ve kestiği odun cipsleriyle geri döndüğünde, "Ağacın gövde eti bile yenilebilir" dedi. "Bunları da pişireceğiz..."

Ateş yakmak için kamyonetteki tahta kutulardan yanına aldıkları odun parçalarını ve Beck'in çalılardan topladığı kuru dalları ve yaprakları bir araya getirdi.

Bir kez daha ateş yakma setini kullanmaya başladı. Tam ilk közü elde etmek için yayını testere gibi hareket ettirdiği sırada Peter'ın iç çekmesini duydu. Beck yaptığı işe devam ederken gözlerini çevirdi. Arkadaşının gözleri yakınında duran bir şeye kitlenmişti.

"Kum... hareket etti."

"Hadi ya?" Beck elindeki işe devam etti. Şimdiye kadar ortaya koyduğu çaba boşa gitsin istemedi, ama tetikteydi.

"Ve tekrar. Sanırım bir şey gördüm."

"Nerede tam olarak?"

"Senin bir metre kadar uzağında. Baksana, işte orada!"

Beck sağa baktı. Sadece kafasını hafifçe o yöne çevirmesiyle zaten gördü. Kumlar fırlıyordu. Sanki sudalardı ve bir balıkta suya dalmak için yüzeyde çırpınıyordu.

Tek bir hamlede Beck, elindeki matkap ve yayı bırakarak üstüne atladı. Parmakları kuma gömülmüştü ve kısa bir anlığına yumuşak ve kıvrak bir bedene dokunduğunu hissetti. Fakat tam olarak kavrayamamıştı, ellerinden sıyrılıp gitti. Beck küfür etti ve çabucak peşinden gitti. Gerçekten de kumun üstünde balık avlamak gibiydi. Zikzaklar çizerek kaçarken, Beck de arkasından emekleyerek takip ediyordu. Gerçek bir balıktan farklı olarak derinlere dalamazdı. Kumun gevşek olduğu yerlerde bile yüzeye yakın olmak zorundaydı. Beck su birikintisinin çevresini yarılamıştı ki, nihayet tekrar parmak uçlarında onu hissetti. Bu sefer sıkıca kavradı.

Peter'a göstermek için onu geri taşıdı. Yirmi santimetre uzunluğunda gümüş gri bir kertenkeleydi. Sivri kafasının üstünde kama şeklinde bir burnu vardı; vücudu siyah bantlar ve karamel renginde koyu sarı çizgilerle çevriliydi; kuyruğu kısa ve küt duruyordu. Mücadele etmeyi bırakmıştı. Beck onu yakalamış olmasına rağmen eğer elinden bırakırsa, ışık hızında kaçacağını biliyordu.

"Ana yemekle tanış," diye gururla sundu.

"Bu bir kum balığı. Ne zehirli, ne de tehlikelidir. Tam da ihtiyacımız olan şey."

Hızlı bir şekilde öldürdü. Tek eliyle tutarken kafasını bıçakla kesip attı. İç organlarını tek bir hamlede çekip çıkarttı. Yapış yapış bir şeyle doldurulmuş ince bir tüp şeklindeydi. Suyun olduğu yerden uzağa fırlattı. İç organları temizlenmiş kertenkelenin bedenini de böceklerin bulunduğu kutunun içine koydu.

"Gözlerin hiç de fena görmüyor aslında Pete!" Beck şaka yaptı ve ateş yakmak için geri döndü.

Tam bir ziyafetti.

Beck'in elinde o kadar çok tahta vardı ki çöle düştüklerinden beri yaktığı en büyük ateşti. İlk yardım kutusunun içine su koyarak palmiye yapraklarını ve kutunun içindekileri kaynatacaktı. Beck kutuyu ateşin üstünde tutmak için bir yol düşündü, sonuçta ateşin sıçrayamayacağı bir şey olmalıydı. Beck kamyonetten aldığı üç tane ahşap çıtayı, ateşin üstünde birbirlerine yaslanacak şekilde dayadı ve onları kuma sıkıştırdı. Paraşütün koşum takımlarından kestiği bir miktar ipi, eğreti duran üç bacağın -tripodun- ortasına bağladı. İlk yardım kutusu buraya asılacaktı ve bu sayede ateşin üstünde duracaktı. Geri kalan ipi kum balığını sarmakta kullandı böylece kamp ateşinin üstünde düzgün bir şekilde pişebilecekti.

Ana yemek pişerken, çocuklar ağaçtan gelen kurtçukları ve böcekleri ağızlarına gönderdiler. O kadar hızlı bir şekilde mideye indirdiler ki, Beck biraz daha toplamak için düşmüş ağacın yanına geri döndü.

"Yağ, protein, karbonhidrat ve su... Hepsi bir arada, kolay kullanımlı tek lokmalık paketlerde" diyerek kendi yorumunu kattı. "Birileri gerçekten bunu marketlere pazarlamalı..."

"Ama sadece belli marketlere güven bana Beck!" dedi Peter, o sıra ağzında kum böceğini çiğniyordu.

Tatlı olarak hurma vardı. Tadı acıydı ama früktoz ve enerjiyle doluydu. Beck çok sayıda hurmaları olmasına rağmen onları porsiyonlara böldü. Şimdiye kadar vücutlarının elde ettiği iyi miktardaki sıvıyı tüketerek ellerinden almasını istemedi.

Yemeğin üstüne içebildikleri kadar su içtiler. Bundan sonrasında, uzun bir süre sadece kumun üstünde uzanarak yanan ateşin alevlerini izlediler. Peter titredi. Yerinde bir titreme olmuştu çünkü gerçekten üşüdü, sıcak titremesi değildi. Tüyleri diken diken oldu.

"En iyisi kıyafetlerimi geri giyeyim..." dedi ve kendini tekrar kumaşla sardı. "Burada uzun süre kalacağımızı sanmıyorum, değil mi?"

Beck etrafına baktı. "Hayır..." diyerek onayladı. "Gitmek zorunda kalmazsak şayet, muhtemelen birkaç gün daha kalabiliriz. Fakat eninde sonunda yiyeceğimiz tükenecek. Ya da su kuruyacaktır..."

"Aslında demek istediğim," dedi ve umutla sordu Peter, "birisi er geç bizi bulacaktır, değil mi?"

"Eğer 'er geç' kelimesinden anladığın diş kayıtlarımızdan iskeletimize kimlik tespiti yapılmasıysa... evet, illa ki bulunuruz."

Peter cevap vermedi.

"Kamyoneti hatırlıyor musun?" diye sordu Beck. "Ne zamandır orada olduğunu düşünüyorsun? Onlarca yıldır olduğunu tahmin ediyorum. Buna rağmen bozulduğundan beri ona dokunan ilk insanlar biziz. Çöl aşırı *büyük* bir yer. İnsanlara öylece rastlayabileceğin bir yer değil. Çıkıp özellikle aramak zorundasın."

"O zaman ilerlemeye devam etmeliyiz," dedi Peter, donuk bir ifadeyle kabullendi.

"Eğer arabayla giderken çölün ortasında kalırsan, sana verebileceğim en iyi tavsiye yanından ayrılmaman ve yardım gelmesi için beklemen olur. Bu hataya düşüp yardım aramak için yola çıktıktan bir ya da birkaç gün sonra ölü bulunan insanların hikâyelerini duyuyorum" dedi Beck. "Ama eğer arabasızsan ve seni aramaya çıkan kimse yoksa kendi kendini kurtarman gerekir. Bu da demektir ki ilerlemeye devam etmeliyiz."

"Evet çok mantıklı," diyerek yorumladı Peter.

"Yiyecek ve suyumuz var. İlerlemeye devam edebiliriz ve bir yerlere ulaşmak için şansımız olur. Ya da yiyecek ve su bitene kadar burada kalabiliriz, bu durumdaysa hiçliğin ortasında sıkışmış oluruz..."

"... hem de yiyecek ve su olmadan."

"Biraz daha gücümüzü toplayacağız. Pişmiş yaprakları ve gövdeyi depolayacağız. Tabii ki, şişelerimizi de dolduracağız."

"Başarabilecek miyim?" Peter bunu açıkça sormuştu. Ani bir konu değişikliği olmuştu ve Beck ne diyeceğini bilmiyordu.

Kafasında binlerce cevap dolaşıyordu. *Tabii ki başaracaksın...* biriydi. *Aptal olma...* bir diğeriydi.

Dürüst davranmamasının, Peter'ın zekasına hakaret olacağını biliyordu.

Dinlenmenin ve yemek yemenin arkadaşının üstünde çok iyi etkileri olmuştu. Sıcak çarpmasının da çok kötü etkileri olmuştu. İyi etkileri, kötü etkilerini pek karşılamıyordu. Peter'ın daha önceki durumunu da hesaba katarak, "sanırım sırt sırta vererek en kısa zamanda çölden kurtulamazsak, ikimiz de öleceğiz," dedi.

"Peki." Peter, Beck'in sert bakışlarına kararlı bir bakışla karşılık verdi. "Beni ikna ettin. Ne zaman yola çıkıyoruz?"

BÖLÜM ON BEŞ

Gece yarısı geçene kadar dinlediler. Çölde geçirmiş oldukları en güzel geceydi. Büyük bir ateş, bolca su ve uykularını getiren dolu bir mideyle çok rahat bir gece geçirdiler. Kalkarken tıpkı birilerinin sıcak ve güzel yataklarından onları uyandırarak, soğuk bir kış sabahına evden çıkmaya zorlaması gibi gönülsüzce davrandılar.

Fakat şimdi hareket etmeleri gerektiğini Beck'e düşündüren neden, tam olarak buydu. Çöl gecesinin soğuğuna karşı savaşmak için onlara güç verecek rezervleri vardı. Gündüz sıcaklığı tekrar başlamadan önce iyi mesafe almış olmalılardı. Sırt çantalarının içinde pişmiş hurma yaprakları ve temiz su dolu şişeleri vardı.

Akrepler riskine karşı eşyalarını tekrar salladılar ve Beck, vahaya son bir kez baktı. Ay ışığının altında solgun ve ruhani görünüyordu. Dudağının kenarında bir gülümseme belirdi. Dua etmişti ve vaha karşılarına çıkmıştı...

Tamam, elbette ki, vaha hep buradaydı diye düşündü. Başka nasıl olabilirdi ki? Fakat bir gerçek vardı; burada olduğu için onu bulabilmişlerdi yani kendi hayatını ve Peter'ın hayatını, yaratıcıya borçluydular.

Arazi kuzey yönünde hafifçe yukarı doğru eğim kazandı. En yüksek noktasına yürümeleri beş dakika kadar sürdü. Vaha, eğimli arazinin uzak köşesinde sonsuza kadar gizleneceği yerde kaybolmadan önce Beck'in arkasına bakmasının hiçbir yararı olmadı. Çoktan yıldızların altında kalan tüm diğer gri gölgelerin arasına karışmıştı ve Beck artık onu ayırt edemiyordu. Sanki çölde aniden ortaya çıkarak görevini yerine getirmiş ve sessizce gözlerden uzağa çekilmişti.

Kafasını salladı. Geçmişe takılmanın hiçbir anlamı yoktu. Tüm yapabilecekleri anı yaşamak ve geleceği planlamaktı.

Gecenin içine doğru yürüdüler. Hâlâ acı bir soğuk hakimdi ama mücadele etmek için yeterince yemek yemişlerdi. Peter'ın saatinin alarmı her çaldığında beş dakika dinlenmek için durdular ve ağız dolusu sularını aldılar. Beck'in Peter'a öğrettiği Tarahumara numarasını kullanarak suyu mümkün olduğunca ağızlarında tutmaya devam ediyorlardı. Bu yöntem onları, dayanılmaz bir susuzluk çekmekten koruyordu ama tabi susuzluk hislerini gidermiyordu.

Bunlara rağmen, Beck, oldukça iyimserdi. Ayaklarının altındaki zeminin gitgide sağlamlaştığını fark etti, bastıkları yer kumdan çok kaya gibiydi. Gevşek, kaygan kum tepelerinin üstünden aşmak zorunda kalmadan iyi mesafe alabilirlerdi. Karşılaştırıldığında, düz bir zemin üzerinde yürümek çok daha basitti.Bir ayağını diğerinin önüne koy, temponu ayarla, zihnini boşalt ve yürü. Bu şekilde saatlerce devam edebilirsiniz.

Hayali bir yere doğru mu yoksa dağların karanlık yamacına doğru mu yaklaşmaktaydılar? Ay ufuktayken yıldızları göremezsiniz. Beck, gündüzleri gözlerinin gördüğü işaretlerin çok daha güvenilir olduğunu biliyordu. Sıcaktan puslanan hava, dağları olduğundan daha yakın gösterebilir ama ilerledikçe gerçekten dağa yakınlaştıklarını görebilirler. Geceleri her şey daha da zorlaşır. Dolayısıyla Beck sadece yürümeye devam etmeyi ve hayal gücünün kaprislerini göz ardı etmeyi öğrendi. İki şeyle ilgileniyordu: gerçeklik ve insanları bulmak.

Şafak vakti yaklaştıkça ışık geniş bir alana yayılıyordu. Gün başlıyordu, Beck birkaç saate başka bir sığınak bulmaları gerekeceğini düşündü. Beck etrafına bakınırken zeminin gerçekten de dümdüz olduğunu fark etti. "Hey, Beck!" Peter çömeldi ve parmaklarını yerin üstünde gezdirdi.

"Lastik izleri!" Arkadaşına doğru kaldırdı kafasını, gözlerinin içi parlıyordu. "Bir yerlere yakın olmalıyız!"

"Çok fazla umutlanma," diye homurdandı Beck. Gözleri yere sabit etrafta bir miktar gezindi. "Evet. Buralarda da var... Daha fazlası şuralarda..."

Aslında kuru, düz zemin sanki az önce bir araba konvoyu çölden geçmiş gibi çapraz çizgilerle doluydu. Kafasında canlandırdığı sesler, motorların kükremesi, lastiklerin kuru toprağın üstünü aşındırması tuhaf bir şekilde çölün ürkütücü sadeliği ile tezat oluşturuyordu. Burada duyabildikleri tek şey, yere sürtünen, kendi ayak sesleriydi.

"Paris-Dakar otomobil rallisinin rotasında olduğumuzu düşünüyorum" diye açıkladı Beck. "Yetmişli yıllarda birkaç Fransız, çölün içinde kayboldular ve buranın araba yarışları için iyi bir yer olduğuna karar verdiler. Her yıl ocak ayında gerçekleşir, dünyadaki en uzun ve zor yarışlardan biridir. Yani ocak ayında olsaydık, bulunmak için hiçbir sorunumuz kalmamıştı."

"Aa!"dedi Peter mahsunca. "Komik aslında. Lastik izi olsa bile rüzgâr süpürmüş ve kumla kaplanmış olurdu şimdiye. Düşünemedim bunu."

"Dikkatli bak," dedi Beck ona sertçe, "Aslında burada hiç kum yok. Bir tuz havzasının üstündeyiz."

Farkına varmış olması gerekiyordu diye düşündü. Zeminin gitgide sağlamlaştığını hissetmişti. Ne kadar düz olduğunu da fark etmişti. Bu ikisini bir araya getirememişti.

Peter ilgisizce rastgele etrafa baktı. Kuru zemin büyüyen bir parıltıyla gözlerinin alabildiği kadar geniş bir alana yayılmaktaydı.

"Bir zamanlar burada deniz vardı, değil mi?" diye sordu.

"Evet ama deniz suyu çok uzun zaman önce buharlaşarak tüm tuzu geride bıraktı. Binlerce yılda kuru, çorak, verimsiz topraklara dönüştü." Beck ayağıyla hafifçe yere vurdu. "Üstteki bu katı kabukta tuzdan başka hiçbir şey yok. Fakat bundan daha kötüsü de olabilir" diye ekledi. "İlla patates cipslerimize döküğümüz tuz olmasına gerek yok; yakıcı soda da olabilirdi mesela."

"Soda mı? Sanırım evin yerlerini silmek için kullanıyoruz."

"Evet, zemindeki toprağa ne yaptığını görüyorsun. Toprak yerine cildinin olduğunu hayal etsene. Sakın derine temas etmesin. Aynı nedenle, burada hiç içecek su bulunmaz, hiçbir bitki yetişmez ve büyük olasılıkla hayvan da yoktur. Hayvanlar bizden daha sağduyulular."

"Ah." Şimdi Peter'ın kafasına dank etmiş gibiydi. Yiyecek yok, su yok... "Ne öneriyorsun?"

Beck kendini toparlamak için gökyüzüne baktı ve kuzeye yöneldi. "Elimizden geldiğince hızlı bir şekilde buradan çıkıyoruz," dedi. "Sadece yürümeye devam ediyoruz."

Ancak iki saat geçmiş olmasına rağmen hâlâ havzanın üstündeydiler ve Beck durmaları gerektiğini biliyordu. Isı, tuzlu zeminde kuma göre iki kat daha güçlü yansıyordu. İlerlemeye devam ederlerse yakında kızaracaklardı.

Hayal kırıklığı içinde dişlerini sıktı. Devam etmek istiyordu. Belki on dakika sonra buradan kurtulup normal zeminde olabilirlerdi. Ya da gitmeleri gereken daha kilometrelerce yol vardı. Ufkun titrek ışıklarına bakarak bunu söyleyebilmesi imkânsızdı. Beck, içlerinden biri yığılına kadar yürüme riskini göze alamazdı. Durmak ve ellerinden gelen en iyi sığınağı yapmak zorundaydılar.

Bırakın sert zeminin içine bir çukur açmayı, üstünü kazıma şansları bile yoktu. Hiç kaya yoktu veya gölgesini sunacak herhangi bir bitkiye de rastlayamazdılar. Geçici sığınaklarını güneşin ve kuzeydoğu rüzgârlarının tersi yönüne, yüzü batıya bakacak şekilde ayarladılar.

"Fakat güneş hareket edecektir," diye belirtti Peter.

"Öyleyse biz de sığınağı hareket ettiririz. Fakat bunu öğleden sonra yapacağız. Sonrasında ise tekrar yola koyuluruz. Eğer gerekirse, gece boyunca yürüyebiliriz. Öyle ya da böyle, bu tuzdan kurtuluyoruz."

Zemin, sığınağın direklerini saplamak için çok sertti. Beck güç kullanarak direklerden birinin kırmak istemiyordu. Direkleri yerinde tutmak için çevreden topladıkları küçük çakılları öbekler halinde yığmaları gerekti. Sonrasında kumaşın gölgesinde oturdular ve günün geçmesini beklediler.

Sığınak onları doğrudan güneşe maruz kalmaktan ve rüzgârdan koruyordu ama ışığı uzak tutamıyordu.

Günün aydınlığı arttıkça güneş ışıkları yeryüzündeki kristallerden geri yansıdığı için tuz havzası beyaz bir ampul gibi parlıyordu. Güneş ışıkları sığınağın açık olan ön tarafına vuruyordu. Işık gözlerini yakıyor gibiydi. Tıpkı zemindeki tuzun ciltlerini yakacağı kadar tehlikeli bir yanmaydı.

Kum sörfü için kullandıkları kumaş hâlâ duruyordu. Kutulardan aldıkları bir çift suntayı sığınağın ön tarafına tutturmayı başardılar ve suntaların bir ucuna kumaşı bağladılar, suntanın diğer ucunu da ana direğe sabitlediler. Artık barınağın önünde, aşağıya doğru uzanan bir güneşlik vardı. Parlamanın çoğunu kesti ve onlara biraz daha gölge sağladı.

"Hey, bir verandamız oldu," dedi Peter.

Beck gülümsedi ve kurumuş dudaklarındaki çatlakları hissetti. Yaptıkları iş onları on dakikalığına oyalamıştı. Zihni meşgul etmek neredeyse vücudu serin tutmak kadar önemliydi. Yola devam edebilmeleri için akşam olmasına daha çok vakit vardı.

"Sanırım bir içeceği hak ettik," dedi.

Beck sığınağın içine girdiklerinde, şişelerden birini kaldırdı ve onu salladı. Hâlâ dörtte üçünden fazlası doluydu. Vahayı terk ettiklerinden beri onlara nadiren el sürmüşlerdi.

"Eğer aralıklara bölersek, günü geçirmek için bize yeterli yudumlarımızı sağlayacaktır," dedi. "Bu durumda, yola çıktığımız zaman yanımıza alabileceğimiz dolu bir şişemiz daha olur. Geceyi atlatırız. Başka bir su kaynağı bulana kadar bizi idare eder.

"Uzun bir gün olacak," dedi Peter, sesi kederliydi.

Beck'in gülümsemesi, dudağının sadece bir köşesinde kıvrım yapabildi. Peter haklıydı.

"Bir zamanlar, yaşlı kral," diye söze başladı, "bilge adamlarından, iyi ve kötü zamanlarda işe yarayacak bilgelik cümlesini bulmalarını istedi. Bilge adamlar gitti, bilgece düşündüler ve şöyle dediler; 'bu da geçecektir' ve onlar haklıydılar."

"Yani işler yolunda gidiyorsa..." dedi Peter, kaşlarını çattı. Düşünceli görünüyordu.

"...tadını çıkar, çünkü 'bu da geçecektir'. Gerçekten berbat zamanlar geçiriyorsan..."

"...endişelenme, çünkü 'bu da geçecektir. Evet." Peter'ın yüzü biraz aydınlandı. "Gerçekten çok akıllıca."

"Bugün de geçecek," Beck, sert zeminin üstüne uzandı ve gerindi, elinden geldiğince iyimser olmaya çalışıyordu "Eninde sonunda."

Vaktin geçmesi uzun sürüyordu. Bir süre sonra susmanın en iyisi olduğunu fark ettiler. Konuşmak sadece ağızlarını kurutuyordu. Dışarıya çıkmaya cesaret edemiyorlardı çünkü tuzdan gelen sıcaklık tıpkı fiziksel bir yumruk yemek gibi olurdu ve sanki duşun altına girmişsin gibi terleme başlardı.

Peter zamanın bir kısmını kamerasındaki fotoğraf ve videoları gezerek geçirdi. Otel lobisindeki adamlar, uçak ve konservedeki elmaslar... Beck, fotoğraflar geçerken şaşkına döndü. Üç gün önce olmuştu. Farklı bir gezegene benzeyen, şu an bulundukları, bu yere nasıl geldiklerini hatırlamak için hafızalarını zorladılar.

Sığınakları hakkında söylenebilecek tek şey, dışarıdan daha serin olmasıydı, aslında pek serin olduğu da söylenemezdi. Gün geçerken zaman algıları bulanıklaştı. Biraz kestiriyorlar ve birkaç santimetre üstlerindeki parlayan kumaşa bakarak öylece uzanıyorlardı. Günü bölen tek şey,

Peter'ın saatinin düzenli olarak bip sesi çıkartmasıydı. Bu ses, ılık sudan alınacak bir yudum su ya da palmiye yaprağıyla hurma kemirme zamanın geldiğini bildiriyordu.

Fakat nihayet gün sona eriyordu. Güneş, gökyüzünün batısındaydı, alçalmıştı. Sırt çantalarını topladılar ve kumaş sargılarını taktılar. Ayakta yan yana durdular, kuru tuz denizinin ortasında iki yalnız şekildiler.

"Gitmeden önce bir yudum daha!" dedi Beck. İlk şişeyi tam olarak ayarlamışlardı. Şişede kalan son yudumlarını da Peter içti. Artık saniyelerle yarışma zamanıydı.

Peter sırıtmış ve şişeyi ağzına götürmeden önce Beck'e doğru kaldırarak arkadaşını sessizce selamlamıştı. Dikkatlice yudumunu aldı sonra şişeyi vermek için önündeki Beck'e doğru uzattı.

İkisi de bundan sonrası için neler olduğundan pek emin değildi. Peter mı erken bırakmıştı, yoksa Beck'in parmaklarında mı kaymıştı bilinmez, şişe yere düştü, sanki ağır çekimde hareket ediyordu.

"Hayır!"

Beck şişeyi yakalamak için çoktan davranmıştı fakat artık çok geçti. Şişe yan tarafına düştü ve içindeki paha biçilemez su etrafa saçıldı. Beck şişeyi tekrar kapmadan önce sadece birkaç saniye kaybetti, fakat yeterince uzun bir süreydi. Şişenin neredeyse çeyreği kalmıştı.

Peter eğildi, Beck'in yerden kalkmasına yardım ederken lanet okuyordu. "Üzgünüm. Ben... Ben çok üzgünüm..." Sesi titriyordu, ağlamak üzereydi.

Beck, ona baktı sonra şişeye baktı ve geri Peter'a baktı. Beyni hâlâ nasıl olduğunu anlamaya çalışıyordu. Birkaç saniye için, bir parçası sanki yüksek sesle çığlık atıyor gibi hissetti. Fakat bu hisse karşı koydu. Bir kaza olmuştu. Kimsenin hatası değildi.

"Saatinin alarmını kaç dakikada bire kurmuştun?"

Sorulan soru ve onun soğukkanlı tonu, Peter'ı suçluluk psikolojisinden kurtarmış gibi görünüyordu.

"Hmm... ah... otuz dakikada."

"Bundan sonra kırk yap."

Beck dikkatlice yudumunu aldı ve kapağını geri kapattı. Şişeyi sırt çantasının içine koydu. Rahatlaması için Peter'ın omzunu sıktı ve birlikte tuz havzasının üstünde yola koyuldular.

Konuşmadılar. Bunun için yeterli su yoktu, zaten söyleyecekleri bir şey de yoktu. Durum çok ciddiydi, şu an gevezelik zamanı değildi.

Onlara tek destek olan şey zeminin düz olmasıydı. Hâlâ tuz havzasının üstündeydiler. Hiçbir engel yoktu. Buna rağmen çok zayıf bir ihtimal olsa da tuz havzasının yüzeyine yeterince ağırlık yaparlarsa tuzu kırıp aşağıdaki zehirli yapışkan maddenin içine düşebilirlerdi. Beck, eğer

Paris- Dakar rallisinde yer alan bütün araçlar bu yoldan geçmişlerse, dış kabuk muhtemelen iki çocuğu da taşıyacaktır diye hesapladı.

Havzadan kurtulmaları iki saat daha sürdü. Güneş batmıştı fakat Beck karanlığın içinden, etraflarındaki manzaranın şekillerindeki değişimi görüyordu. Aradaki farkı ayaklarının altında da hissetti. Biraz daha rahattı. Gün boyunca dinlenirken, geçen sabah için az daha ilerlemeleri gerektiği düşüncesine saplanıp kalmıştı. Fakat hayır, durmaları doğru seçim olmuştu. Günün çarpıcı sıcaklığında bu kadar ileri gidemezlerdi.

Yeryüzü hafiften engebeli bir hâl almaya başladı. Sert ve taşlıktı, yumruk büyüklüğünde taşlar etrafa yayılmıştı; ilerlemek hâlâ oldukça kolaydı ve kum tepelerinde yukarı-aşağı didinmekten kesinlikle daha basitti. Çocuklar sadece ayaklarını nereye koydukları konusunda dikkatli olmalılardı.

Havzanın dışına çıktıktan kısa bir süre sonra son yudumlarını almak için durdular.

"Bekleyebilirim." Peter'ın sesi kısılmıştı. Şişeyi ay ışığına tuttu, geriye kalan birkaç kıymetli damlayı görebiliyordu. "Az daha zaman geçsin. Bunu acil durum için saklamalıyız."

"Pete..." Kuru bir fısıltı gibi çıktı. Beck biraz nem için yutkunmak zorunda kaldı ve tekrar denedi, öncekinde hiçbir ses çıkmamıştı. "Pete, şu andan sonra acil durumdayız. Hemen iç şunu. Mümkün olduğunca uzun süre ağzında tut. Tamamen emmesine izin vermeye çalış. Birkaç saat daha ilerleyeceğiz, sonrasında şafak sökmeden iki saat önce durup, bir nem kapanı daha yaparız." Canını yakmasına rağmen gülümsedi.

"Geride hiç çişimin kaldığını sanmıyorum..." diye söylendi Peter. Şişedeki son damlaları aldı ve neredeyse boş olan şişeyi bitirmesi içi Beck'e uzattı.

Su olmadan geçen bir gece, olduğu geceye göre iki kat daha uzun gibiydi. Çok zaman geçmemişti ki; Beck, Peter'ın sendeleme seslerini duydu. Ara sıra atılan yanlış adımlar, daha fazla kulak tırmalayan nefes alışverişler. Beck sürekli normal hızında ilerlerken kendisini hep biraz daha ileride buluyordu. Kendisini geri çekmek zorunda kaldı. Peter yavaşlıyordu.

Fakat o hâlâ yürüyordu.

Beck yere eğildi ve bir çift çakıl taşı aldı. Tozunu temizlemek için onları ovuşturdu. Sonra bir tanesini Peter'a verdi.

"Bunu ağzında tut. Tükürük salgılamanı sağlayacaktır."

Peter sessizce söylediklerini yaptı. Beck kendi çakıl taşını ağzına attı. Bir değişiklik yapmamasına rağmen sanki öyleymiş gibi hissettirdi. Vücutlarındaki su miktarını arttırmıyordu ama ağızları biraz daha nemliydi. Beck alaycı bir şekilde düşündü; susuzluktan ölmeyi biraz daha hoş bir hâle getirmişti...

İleriyi düşünerek zamanını geçirmeye çalıştı. Su. Onların suya ihtiyacı vardı. Kurabilecekleri bir nem kapanı vardı ve Peter'a bahsettiği bedevi tekniğini deneyebilirlerdi. Yoğunlaşmayı yakalamak için güneş doğmadan önce taşları çevireceklerdi. Belki daha fazla nemli toprak bulacaklardı ve sıkarak suyunu çıkarabilirlerdi.

Seçenekler vardı. Her zaman seçenekler vardır. Olmak zorundaydı çünkü eğer yirmidört saat içinde hiçbir şey bulamazlarsa, Peter'la beraber ölecekti.

Peter sendeleyerek yürüyordu ve arkadaşına doğru tökezledi. Beck onu tutmak için bir kolunu omuzlarının çevresine sardı. Kimin kime destek olduğunu söylemek zor olsa da yürümeye devam ettiler.

Ölmemize izin verme...

Daha önceki dualarına bir dönüştü.

Ne olacaktı ki? diye düşündü. *Başka bir vaha mı?*

Beck'in endişeleri arttıkça, duaları da süreklileşti. *Lütfen hayatımızı bir seferlik daha bağışla* dememişti. *Lütfen hayatlarımızı bağışla artık. Lütfen bizi bu çölden çıkar* diye dua ediyordu.

Duaları düşüncelerine, düşünceleri adımlarına karıştı. *Yürümeye devam. İlerlemeliyiz. Asla pes etme.*

Fakat yavaşlıyorlardı. Her dakika daha güçsüzleşiyorlardı ve daha çok sayıklıyorlardı.

Karanlığın içinde deve şeklinde bir kaya önlerinde belirdi.

"Bir deve," dedi, geveleyerek konuşuyordu. Evet bu iş yapardı.

Ölü bir devenin midesi şaşırtıcı miktarda su sağlayabilir. Midesinde bulunan birçok gözü arasında birikir ya da devenin yiyecekleri sindirmek için beklettiği yer. Midesinin ilk bölümünü yani işkembesini kesip açabilirsiniz. İşkembenin içindekiler iğrenç ve kokuşmuş olsa bile içindeki suyu çıkarabilirsiniz.

Canlı bir deve çok daha iyi olurdu çünkü büyük ihtimalle insan sahibi yakınlarında bir yerde olurdu...

Deve şeklindeki kaya hareket etti. Beck'in suya aç beyninin anlaması biraz zaman aldı.

Sonra gözlerini ovuşturdu ve gerçekten de bir deve olduğunu gördü. Deve kafasını kaldırmış çölün içinden gelen iki yabancı yaratığı kontrol ediyordu. Küçük bir ağaca bir yularla bağlanmıştı. Yanındaki daha küçük karartı bir katırdı ve onların yaklaşmasından deveyle eşit derecede endişelenmiş gibiydi. Onlara yüksek sesle meydan okudu!

Aaa-ii!

Arkalarında duran karartı. Beck'in kalbi duracaktı, bir çadırdı! Paraşüt kumaşından yaptıkları, düz ve dikdörtgen kenarlı sığınaklarının biraz daha büyük bir versiyonuydu. Birdenbire çocuklar güçlü bir el fenerinin ışığı altında donakaldılar.

Bir adam konuştu fakat Beck dediklerini anlamıyordu.

"Selamün aleyküm." Beck nefesini tuttu. "Barış ve huzur seninle olsun." En azından bu kadarını anlayabilmişti.

Sonra Beck kekeleyerek konuşabildi, "Y-yardım edin…"

BÖLÜM ON ALTI

"Hey, Back!" Peter üstten seslendi. Beck kısık gözlerle yukarıya baktı. Arkadaşı, devenin üstündeki semerin ön tarafına tünemiş, mavi gökyüzünü işaret ediyordu. Deve yürüdükçe hafiften sağa sola sallanıyorlardı sonra Beck sırıttı. "İngiltere'yi neredeyse görebiliyorum!"

Deve, tuhaf bir yalpalama tekniğiyle yürüdü. Devenin yüz ifadesi gururlu, duruşu asildi. Sanki bu iki çocuğun kurtarılmasından bizzat kendisi sorumluydu. Her ne kadar başka bir canavarın dökülen tüylerini kendi üstüne sarmış gibi görünse de Beck bunun dünyadaki en güzel yaratık olduğunu düşündü.

Gülümsedi, arkadaşı kendini toparladığı için sevindi.

Sonra gülümsemesi biraz burkuldu çünkü ilgilenmesi gereken başka bir acil durum vardı. Katırın üstünde ilerlemek hiç rahat değildi.

Çöl göçebesi, yani kurtarıcıları, Peter'ın arkasında oturuyordu. Adam bir şeyler söyledi, Beck dediklerini anlayamamıştı. Fakat Peter adama cevap verdi ve adam da güldü.

Adamın adı Anwar'dı ve kendisi bir Berberi'ydi. Beck bu kadarını çözebilmişti. Bronzlaşmış ve bozulmuş cilde sahip yüzünün üstünde koyu renkli bıyığı ve cin gibi gözleri vardı. Yüzüne sardığı şalın altından sadece bu kadarını görebiliyorlardı.

Son yirmi dört saat içinde bir ara görünmeyen Fas sınırını geçmiş olmalıydılar. Kuzey Afrika'nın bu kısmı bir zamanlar Fransa ve İspanya tarafından ortak yönetiliyordu. Anwar, ağır bir Berberi aksanıyla Fransızca konuşuyordu. Yine de Fransızca derslerinde zorlanan Beck'e, bunun hiçbir yararı olmadı. Birkaç kelimeyle anlaşabiliyorlardı fakat hepsi bu kadardı.

Anwar'ın orada olması tamamen şans eseriydi. Talih veya kader. Anwar çölde mal taşıyan bir tüccardı ve artık köyüne dönmeye karar vermişti. Katırı aksamaya başlamıştı; ayağına bir diken batmış ve Anwar çıkarmıştı. Yolculuğunu bitirmeden önce hayvanın dinlenmesi için bir gün daha vermişti.

Bir çöl insanı olan Anwar'ın içgüdüleri, oğlanlar çölden sendeleyerek çıkınca durumu devralmıştı. Onlara geometrik desenlerle dekore edilmiş yontma emaye kaptan su vermişti. Peter birkaç saniye içinde bütün kâseyi içmeye çalışmıştı. Anwar onu kibarca durdu ve ona yavaş yavaş yudumlaması gerektiğini gösterdi. Suyun emilmesi için ona biraz zaman vermelisin. Çok hızlı içmeniz ters-etki yaratarak vücudunuzun suyu ret etmesine sebep olur ve geri atarsınız.

Beck, şu ana kadar tattığı en güzel içeceğin tadını aldı. Suyun tadı gibisi yoktu.

Sudan içtikten sonra sıra deve sütündeydi. Çok kısa bir süre önce devenin içindeki sütü, Anwar keçi derisinden yapılmış bir şişeye koymuştu. Kalın ve kremalı tadı enerji vericiydi. Midelerini de memnun etmek için üstünden biraz geçtikten sonra Anwar biraz katı yiyecek yemelerine izin vermişti. Bir miktar sert ekmek ve bir parça da pişmiş et yediler.

"Ne, akrep yok mu?" Peter uykulu bir sesle mırıldandı. Bundan kısa bir süre sonra o ve Beck bir çift kilimin üstüne çekilip çadırın bir köşesinde uyukladılar. Çadır üçü için yeterince büyük değildi ve Anwar ısrar ederek dışarıdaki ateşin önünde uyuyabileceğini söyledi. Bu hareketi onları çok mahcup etmişti fakat Beck bunun Berberi kültürüyle doğrudan alakalı olduğunu biliyordu. Misafirperverliklerinden kaynaklanıyordu, konukları her zaman öncelikliydi. Normal hâlleri böyleydi. Beck ve Peter dua ediyor gibi bir hareketle avuç içlerini yüzlerinin önünde birleştirip minnetle ona teşekkür ettiler.

Anwar sıcak bir şekilde gülümsedi ve onları çadırda yalnız bıraktı. O gece bebekler gibi uyudular. Sıcak bir ortamdaydılar, beslenmiş ve güvendeydiler.

Anwar köyünün yaklaşık on kilometre uzakta olduğunu söyledi. Şafak vaktiyle birlikte bütün eşyalarını devenin arka ve yan taraflarına yükledi. Deve semeri, kıvrık bacaklara sahip dört köşeli bir tabureye benziyordu ve devenin kamburunun önüne yerleştirilmişti. Gerçekten de düşecek gibi duruyordu, fakat düşmedi. Anwar ve Peter devenin üstüne binerken Beck de katırı aldı. Çok keskin bir omurgası vardı ve yavaş yavaş onu kesiyormuş gibi hissetti. Neredeyse inip yürüyecekti...

Köy birkaç saat sonra göründü. Atlas Dağları'nın görkemli bir şekilde arkasında yükseldiği köy, ısı pusunun içinde birdenbire belirdi. Kum renginde taş bloklardan yapılmış alçak duvarlarla çevrili müstakil evlerle çevriliydi. İlk bakışta neredeyse çölün bir parçacı gibi görünüyordu, günün sıcağında kimse dışarıda çok fazla kalmıyordu.

Fakat orada hayat vardı. Bir kadın elinde sepet taşıyordu ve duvarın gölgesinde birkaç çocuk oyun oynuyordu. Az uzakta erkeklerden oluşan küçük bir grup sopayla silahlanmış, köyün eteklerinde rastgele dolaşıyorlardı.

"Ne yapıyorlar?" diye seslendi Peter.

"Yılan avlıyorlar," diye tahmin etti Beck. "Muhtemelen bunu sürekli yapıyor olmalılar."

Beklenmedik bir şekilde Anwar da kendi yorumunu ekledi. 'Ser-pon' gibi bir şey dedi ve arkasından Beck'in anlayamadığı başka bir kelime seli onu takip etti.

"Fransızca 'yılan' demek" diye tercüme etti Peter. Fransızcasının Beck'ten daha iyi olduğunu kanıtlıyordu.

"Bu köy burada çünkü gölge, yiyecek ve su var," dedi Beck. "Elbette yılanlar da buraya gelecek.

Özellikle, boynuzlu engerek yılanı fark edilmesi en zor hayvandır. Kumun içinde, sadece gözleri açıkta kalacak şekilde gizlenir. Üstelik kum rengindedir. Bir keresinde bir çocuğun parmağını ısırdığını duymuştum. Zehrin kan yoluyla kalbe taşınmaması için hemen oracıkta parmağını kesmek zorunda kalmışlar."

Köye yaklaştıkları sırada insanların birbirlerine heyecanla seslendiğini duydular. "Baksana belki de bir tanesini yakalamışlardır Beck!"

Adamlar bir çalının çevresine yayılmış, ellerindeki sopaları çevresindeki toprağa saplıyorlardı. İçlerinden biri aniden öne atıldı ve sopasını yere bastırdı. Bu sırada başka bir adam bıçağını çekip sallamaya başladı. Biraz sonra, ikinci adam, elinde yarım metre uzunluğunda kıvrımlı duran ince şekilli bir şey kaldırdı.

Diğer bir çift köylü sopalarıyla kazmaya başladılar.

"Başını toprağa gömecekler," dedi Beck. "Refleks olarak hâlâ ısırabilir."

"Sanırım biz de vücudunu yiyeceğiz," dedi Peter, hiç hevesli görünmüyordu.

"Muhtemelen hayır, bu gerçekten büyük bir kayıp, çünkü yılan eti akrep etinden çok daha güzel! Fakat öldürdükleri düşmanı yeme düşüncesi onları rahatsız ediyor. Ona büyük bir saygıyla davranacaklar."

Kısa süre sonra köylüler yeni gelenleri karşılamak için göründüler. Yılan avcıları da köyü doğru geliyorlardı. Muhtemelen herkes Anwar'ı tanıyordu ve onun geri dönmesini bekliyordu. Fakat iki tane Avrupalı çocukla birlikte çölden çıkagelmesi onlarda büyük bir merak uyandırmıştı. Deve ve katır köye ulaştığı sırada, onları karşılamak için oldukça kalabalık bir grup toplandı.

Köy, son bin yılda neredeyse hiç değişmemiş gibi görünüyordu. Yine de orada modern dünyaya ait işaretler vardı. Evlerden bir tanesinin çatısında bir çeşit anten vardı. Beck telefon direklerine benzeyen hiçbir şey göremiyordu ama asla tahmin edemezdin. İçindeki umut gitgide yükseliyordu. Yalnızca bir kişide cep telefonu ve radyo varsa tekrar dünyayla iletişime geçebilirlerdi. Birileri Al Amca'ya nerede oldukları hakkında bilgi verebilirdi.

Bir çift odası olan küçük bir kulübenin içine alındılar. Kıyafetlerini değiştirmeleri için onları odada yalnız bıraktılar. Berberi çocukların giydiği kaftanlar ve kovalar dolusu su, hiçbir şey yapmadan önce yıkanmaları gerektiğini gösteren en güçlü ipucuydu. Nasıl koktuklarının düşüncesi bile Beck'i ürküttü.

İşleri bittiğinde, kapıdan nazik bir tıklama sesi duyuldu. Anwar başını uzattı ve onları el işaretiyle çağırdı. Onu takip ederek dışarıya çıktılar, yeni kıyafetleriyle güvenleri biraz daha yerine gelmişti. Dışarıda onları, yaşlıca mütevazi bir kadın bekliyordu.

"Ben anladım, İngilizsiniz, değil mi?" diye İngilizce sormuştu kadın. Onların şaşırarak rahatladıklarını gören kadın gülümsedi. "Ben Tahiyah. Sahil yakınlarında bir oğlum var çalışmakta," diye açıkladı. "Çok fazla İngiliz turist. Bazen ben orada çalışıyorum. Anlatın bakalım, buraya nasıl geldiniz?"

Hikâyelerini, şekerli çaylarını yudumlayıp tereyağı ve balla ıslatılmış bir çeşit gofret yiyerek, bir ağacın gölgesinde oturup anlattılar.

Hikâyeleri heyecan ve coşkuyla karşılandı. Vahadan bahsettikleri sırada, çok fazla sayıda kişi bilgece başını sallayarak birbirlerine doğru baktılar. Beck neden bunu yaptıklarını çok fazla anlayamadı. Daha çok telefonla ilgili tahminlerinin doğru olmasıyla ilgileniyordu. Anlatacakları henüz bitmeden iki adamının kaftanlarından çıkardıkları cep telefonlarıyla konuşmak için bulundukları yerin coşkulu gürültüsünden uzaklaşarak az öteye gittiklerini gördü. Beck, anlatılanlar karşısındaki abartılı heyecan ve jestlerden şüphelenmişti.

Bir adam gelerek hafifçe Tahiyah'ın omuzuna dokundu ve kulağına fısıldadı. Yüzünde geniş bir gülümsemeyle çocuklara doğru baktı.

"Marakeş'teki polis ofisiyle konuştuk," dedi. "Yarın sizi bulmaya gelecek. Onlar dediler, iki çocuk kayıp biz duyduk. Onlar canlı olmanıza şaşırmak!"

"Evet," dedi Beck. İçindeki şüpheyi söylemek istemedi.

Peter yanındaki Beck'e baktı. "Ne oldu, Beck?"

"Ne 'ne oldu'?"

"Canını sıkan bir şey var."

Beck iç geçirdi. "Eh, telefonda konuşan adamların ne dediğini anlamıyoruz... Başka kim bilebilir burada olduğumuzu?"

"Ne demek istiyorsun?"

"Bayan Chalobah'ın kaçakçılar hakkında söylediği şeyleri hatırladım.

Demişti ki; "Kötülük ağı tüm kıtaya yayılıyor." Biz de hâlâ aynı kıtadayız, Pete. Bizi almaya gelecek adamların iyi insanlar olmayacağından endişeliyim."

"Endişelenmeyin!" Tahiyah yüksek sesle araya girdi. Beck arkadaşıyla kendi aralarında sessizce konuşmuştu ve onun, konuşmalarını takip edebileceğini beklemiyordu. "Siz endişelenmeyin. Hırsızları sevmeyiz!"

Beck gülümsedi. Kadının güven veren sözleri içini rahatlatmıştı. Fakat onların başına herhangi bir bela getirmek istemezdi, iyi ve nazik insanlardı. Ne kadar çabuk Marakeş polisi gelirse, o kadar iyi olurdu. Fakat yarına kadar bu olmayacaktı. Yirmi dört saat içinde çölde çok şey olabilirdi.

Günün geri kalanı belirsizlik içinde geçti. Her yerde onları takip eden kalabalık bir çocuk grubuna bazı İngilizce kelimeler öğretmeye çalıştılar ancak Peter ve Beck'in İngiliz aksanlarını duydukça kahkahayla çatlayacak gibi oluyorlardı. Köyün harika atmosferi, sıcaklık ve saygıyla karşılanmaları, hafta sonu tatillerinden çok daha iyi geldi. Toparlanmak için ihtiyaç duydukları tatil tam da buydu.

Tatlı çay ve yerel lezzetlerden oluşan sonsuz bir kaynağa sahiptiler.

Günün ilerleyen saatlerinde köyün geri kalanını keşfetmek için dolaşmaya başladılar. Peter gazeteci tavırlarındaydı. Her açıdan mekânı yakalamak istiyordu. Elbiselerini değiştirdikleri kulübe köyün konuk evi ve onların da geçici evi gibi görünüyordu.

"Acaba buranın içinde ne var?" dedi Peter. Çevresi kapalı başka bir küçük odaya geçtiler.

"Hayır!" diye ciyak bir sesle bağırdı Beck. Fakat Beck onu durdurmadan önce Peter kapıyı açmış ve çoktan içeri bakmıştı. Tencere, tavalar ve önemsiz şeylerle doluydu içerisi. Belli ki depolamak için kullanılan bir yerdi.

Peter kafası karışmış bir şekilde dönüp arkadaşına baktı.

"Ne?"

Beck çömelip yerdeki dalgalı çizgileri işaret etti. Kapının yanında toprağın üstünde muntazam olmayan izlerdi. "Bu bir yılan izi."

Peter kulübeye doğru korkuyla baktı. Neredeyse girmek üzere olduğu kulübeden çabucak uzaklaştı.

"Bu bölgeyi sabah tamamen temizlemiş olmalıydılar," dedi. "Ancak bir ara kesinlikle buradan bir yılan geçmiş." İzleri daha yakından inceledi. "Ana fikir, karanlıksa içeri girme."

"Hemen yan odada uyuyacağız!" dedi Peter, kulübelerini işaret ederek karşı çıktı.

"Biz de kapımızı kapatırız. Merak etme, sorun olmaz," diye ısrar etti Beck.Nihayet gün bitti ve yatma saati geldi.

Kapının girişinde Tahiyah ve Anwar'a, sonra bütün yeni arkadaşlarına iyi geceler dilediler ve kulübelerine girdiler.

Peter neredeyse hemen uyudu. Beck bir süre daha kaba yer yataklarının üstünde uzanarak ay ışığının tavana vuruşunu izledi. Sonsuz düşünceler aklından geçiyordu.

Bir süre sonra kalktı ve el feneriyle birkaç parça eşya için sırt çantasını karıştırdı. Sonra dikkatli bir şekilde kulübenin dışına çıktı. Kendi tavsiyelerine uyarak el fenerinin ışığını yılanlar için yere doğru tuttu.

Beş dakika sonra yatağına geri döndü, zihnini boşalttı. Bu sefer teslim oldu ve kısa süre sonra uykuya daldı.

BÖLÜM ON YEDİ

Metalin çarpma sesiyle uyandı. Kulak tırmalayan yüksek bir sesti. Tıpkı bir yığın tencere tavanın yere düşmesi gibi. Beck tam olarak ne olduğunu biliyordu. Hemen uyandı. Yataktan fırladı ve pencerenin kenarına doğru süründü. Sonra yavaşça kafasını kaldırıp eşiğin üstünden dışarıyı gözledi.

Uyumadan hemen önce bir miktar paraşüt kordonunu kapının girişini çevreleyecek şekilde gergince bağlamıştı. Görüş alanı dışında kalan biri dışarıdan içeriye girmeye çalışırsa diye iki ucuna kulübeden bulduğu tencereyi bağlamıştı. Sonra üstlerine birkaç tane daha tencere yığmıştı. Kapalı alanın içine kim girerse ipe takılacak ve tencereleri yerinden oynatacaktı. Tam da böyle oldu.

Bir adam silüeti girişte çömelmişti. Beck onu net bir şekilde göremiyordu fakat üstündeki kıyafetler bir Berberi olmadığı söylüyordu. Afrika dilinde savurduğu küfür onu tanımasına yardımcı oldu. Beck, bu adamın uçaktaki Güney Afrikalı olduğundan neredeyse emindi.

İçgüdüleri haklı çıkmıştı. Onlarla ilgili haberler yayılmıştı.

Beck derin bir nefes aldı. Eğer yeterince yüksek sesle bağırırsa, birileri onu duyacaktı. Fransızcada 'yardım' nasıl söyleniyordu? Ah, evet *Au Secours!* İnsanlar toplanırdı. Fakat sonra adam elini göğüs hizasına götürdü ve Beck, ay ışığının bir silah namlusu üzerinde parladığını gördü. Evet birileri illa gelecekti ama adamın Beck ve Peter'ı, hatta onlara doğru gelen diğerlerini de vurması için hâlâ çok zamanı olacaktı. Beck bunu kendi başına halletmek zorundaydı.

Dudaklarını ısırdı ve baltaya doğru yavaşça uzandı. Yatağının altına bırakmıştı. Parmaklarıyla kapıya doğru yanaştı ve kapı kolunu kavradı. Adam içeri girecekti. Beck, ona sertçe vurmak zorundaydı. Daha önce yapmış olduğu bir şey değildi bu ve baltanın kör tarafını kullanmayı düşünüyordu. İlk hamleyi ya Beck yapacaktı ya da adam.

Peter gerinerek bir şeyler mırıldandı. Beck anında yanında bitti ve bir parmağını dudağına bastırarak sus işareti yaptı. Peter'ın gözleri kocaman açıldı fakat sessiz kaldı. Beck pencerenin yanına döndü ve cesaret edebildiği kadar kafasını uzatarak dışarıyı gözledi.

Tekrar adamı görmesi biraz zaman aldı. Beck'in kalbi yerinden çıkmak üzereydi.

Adam, depolama için kullanılan odaya yanaştı. Onların odasını seçebilirdi ama şans eseri diğerini seçmişti ve odanın içine girip gözden kayboldu.

Sessizlik.

Devam eden sessizlikten sonra kulak tırmalayan bir çığlık sesi.

Adam kulübenin dışına çıkarak bacağını tuttu ve yere devrildi. Silah elinden fırladı ve kendi düştüğü yerden uzağa kumun üstüne düştü. Ayağa kalkmaya çalıştı fakat tekrar yığıldı, acı içinde çığlıklar atıyordu.

Arkasından kulübenin içinden kıvrılarak gelen simsiyah bir yılan adamı takip etti. Yılan adamla kulübe arasındaki yerde sıkışmıştı. Pusuyu düşmüş gibi hisseden bir yılan daha tehlikelidir. Yılan kafasını havaya kaldırdı ve Beck ana hatlarıyla onu tanıdı. Bu Peter'a tarif etmiş olduğu boynuzlu engerek yılanı değildi. Kafasının şeklinden şüpheye mahal vermeyecek şekilde kendini belli ediyordu. Bu dünyadaki en tanınan ve en ölümcül yılanlardan biri olan kobra yılanıydı.

Beck ikinci kez düşünmedi. Baltasını havaya kaldırarak kulübeden dışarıya fırladı ve yılana indirdi. Sürüngen adamı bir daha ısıramadan iki parçaya dilimlenmişti. Bıçağıyla kopmuş kafasını alanının kullanılmayan bir köşesine fırlattı. Göğüs kafesi inip kalkıyordu ve baltası hâlâ elindeydi, sonra yerdeki adamın yanında dikildi. Bir süre birbirlerine baktılar, potansiyel katil ve hedefteki kurban.

"Bana yardım et..." adam zor nefes alıyordu.

Bir anlığına Beck'in içinden '*Hayır!*' diye bağırmak geldi. Fakat bunu yapamayacağını biliyordu. Kendisi bu adamdan daha iyi bir insandı."

Peter kulübenin girişinde duruyordu. "Bu nedir? Ne oldu?"

Beck bir kararla yanına geldi. "El fenerini getir ve sırt çantasını da." Sonra adama dönerek; "Seni nereden ısırdı?"

"Bacağımın arkasından..." adam kenetlenmiş dişlerinin arasından, güçlükle soluyarak, konuştu.

"Arkanı dön."

Bir dakika içinde Peter sırt çantasıyla geri dönmüştü. Beck adamın pantolonunu katlarken, o da el fenerini yerdeki adamın üstüne tuttu. Isırık izleri baldırında görülüyordu; kanla dolmuş iki koyu delik ve çoktan şişmişti.

Köylülerin toplandığını Beck pek fark etmedi. Güney Afrikalının çıkardığı gürültüyle herkes uyanmıştı.

Köylülerin toplandığını Beck pek fark etmedi. Güney Afrikalının çıkardığı gürültüyle herkes uyanmıştı. Beck sırt çantasındaki ilk yardım paketinin içini alt üst ederek ararken onları yok saydı. Kaybedecek zaman yoktu.

"Hareket etme," diye söylendi. "Sadece zehri daha çok yayar bu."

Güney Afrikalı, şok ve acı içindeydi; rengi kül gibi olmuş, dişlerini kenetlemişti.

"Yani şimdi," Peter aynı anda hem etilenmiş hem korkmuş gibi görünüyordu "ısırdığı yeri mi keseceksin? Zehri emdikten sonra sıkıca bağlayacak mısın?"

"Çok fazla film izliyor olmalısın," Beck sargı bezlerini ve uzun bir bandaj bulup çıkardı.

Beck bezleri ısırığın üstüne bastırdı ve bandajla çevresini sarmaya başladı. "Sıkı bir sargı sadece kan akışını engeller. Sonunda bir uzvunu kaybedebilir. Yapılması gereken hastaneye götürene kadar zehrin yavaş yayılması için yaraya sabit bir baskı uygulamak. Aslında şanslı sayılır. Kobra zehri nörotoksiktir, engerek gibi hemotoksik değildir. Yani kan yerine sinirlere saldırır zehir. Yılan bacağın etli kısmını ısırmış. Eğer hareket etmezse, yaşayabilir."

"Yaşayabilir? Ne demek istiyorsun, yaşayabilir?" Adam soluyarak konuşuyordu.

"Vücudunun nasıl tepki vereceğine veya yılanın zehrini verip vermediğine bağlı" diye yanıtladı Beck. Tekrar ısırık izlerine dikkatlice baktı. "sadece iki delik var gibi görünüyor. Bunun anlamı zehir enjekte etmemiş, kuru bir ısırık yarası. Eğer üçüncü delik olsaydı, zehri enjekte etmiş olurdu. Şanslı olabilirsin."

Güney Afrikalı acı içinde tekrar gözlerini yumdu. "Sizi lanet çocuklar. Eğer ölürsem bu sizin yüzünüzden. Silahını almak için davranmayı denedi fakat Peter önce davrandı.

Beck öfkeli bir şekilde adama baktı. "Sizin kim olduğunuzu biliyorum. Elmas kaçırıyorsunuz ve bunun için insanların yaşamları mahvediyorsunuz. Nasıl böyle merhametsiz olabiliyorsunuz?" diye öğrenmek istedi. "Ne zaman insanlar yerden kazıp çıkardığınız taşlara önem vermeyi bırakacak?

Tüm bunlar zengin olmak için mi? Tüm önemsediğiniz bu mu? Bırak da anlatayım, Eğer zengin olsaydım, imkânı yok yere, pisliğin içine yüzü koyun uzanıp yarı yaşımdaki bir çocuğun hayatımı kurtarması için yalvarmazdım. Sizin yüzünüzden kaç insan hayatını kaybetti? Bir, iki demiyorum. Kaç bin insan öldü sizin gibilerin çaldıkları yüzünden?"

"Ah, hadi be, bırak vaaz vermeyi!" diye alaylı bir kahkaha attı.

"Peki, bunları hapiste düşünecek bolca vaktin olacak zaten, öyle değil mi?" dedi.

"Hapishane mi?" Adam şimdi acı içinde dudağını büktü. "Hapse gitmeyeceğim."

Beck bandajı sarmayı bıraktı ve kendisine inanamayarak baktı. "Neden. Bu gece buraya bizi öldürmek için geldin. Şahitlerimiz var."

"Hiç sanmıyorum. Ben turistim, kayboldum. Arabam yakınlarda ve yardım arıyordum."

"Silahın var!" diye araya girdi Peter.

"Ne olmuş yani? Sonuçta dünyanın en güvenli ülkesinde değiliz şu an."

"Seni Sierra Leone'de gördük! Bir uçak dolusu kaçak elmasla!"

"Çok doğru evlat. Elmasları kaçırdığımızı biliyordun. Çölün sizin hakkınızdan geleceğini düşünmüştüm ve işi bitirmek için buraya gelme görevinden kurtulacaktım."

Beck ve Peter konuşmak için aynı anda ağızlarını açtılar.

"Peki ama polis kime inanacaktır?" diye sordu adam. "Masum bir turiste mi yoksa başıboş iki çocuğa mı?"

"Fakat az önce itiraf ettin!"

"Sadece siz ikinize." Adam şahitlere bakmak için başını hafifçe yukarı kaldırdı. "Selam, kimse var mı? Acaba burada İngilizce konuşan var mı? Ne, hiç kimse yok mu?" gülüyordu.

Beck Taliyah'ı bulmak için boşuna uğraşarak kalabalığın içine baktı. Fakat orada değildi. Sadece köyün adamları vardı ve hiçbiri İngilizce bilmiyordu.

Kalp atışları hızlandı ve neredeyse hastalanmış gibi hissediyordu.

Bu adam onları öldürmek için gelmişti. O da adamın hayatını kurtarmıştı çünkü doğru olan buydu. Adam öylece her şeyi itiraf etmişti ve bu durum için yapabilecekleri hiçbir şey yoktu. Bu işten öylece paçayı sıyırabilecek miydi?

Arkadan bir ses daha konuşuyordu. Beck'in ne olduğunu anlaması biraz zaman aldı. Bir adamın sesini duydu.

"Çok doğru evlat. Elmasları kaçırdığımızı biliyordun, çölün sizin hakkınızdan geleceğini düşünmüştüm, ve işi bitirmek için buraya gelme görevinden kurtulacaktım."

Ses biraz inceydi fakat gayet kusursuz bir şekilde anlaşılabiliyordu. Ses Peter'ın kamerasının mikrofonundan geliyordu. Peter kamerayı kapattı. Yüzü aydınlanmıştı ve zafer kazanmışçasına Beck'e doğru baktı. Beck yavaşça geriye dönerek arkadaşına gülümsedi, olanlara inanamıyordu.

Sabahın erken saatlerinde iki tane Toyota Land Cruisers model araç, çölün içinden çıkarak köye geldiler. Her ikisinde de polis işaretleri vardı.

İlk araçtan birkaç polis ve bir sağlık görevlisi çıktı. Köyün şefiyle konuştuktan sonra Güney Afrikalı'nın tutulduğu kulübeye doğru ilerleyerek gözden kayboldular. Köylüler sırayla nöbet tutarak adamın kaçmamasını garantiye aldılar. Zaten bu kadar güçsüz bir bedenle kaçmayı başarabilmesi zordu.

Diğer aracın içinden yardımcılarıyla birlikte yüksek rütbeli bir polis ve Al Amca dışarıya çıktı. Al konuşmadan sırıtan iki çocuğun yanına doğru ilerledi.

Beck'i kendine doğru çekerek nefesini kesecek denli kuvvetlice sarıldı.

"Bir saniyeliğine bile seni yalnız bırakamayacağım, değil mi Beck?" dedi kısık bir sesle.

"Bunu söyleyeceğini demiştim..." diyerek araya girdi Peter.

Daha sonra hikâyelerini tekrar anlatmak zorunda kaldılar. Sadece Al'ın dinlemesi için değil, aynı zamanda polis müfettişine resmi bir ifade verdiler. Yolculukları sırasında topladıkları pırlantaları da teslim ettiler. Onlara manevi destek sağlamak için Tahiyah ve diğer birkaç Berberi arkalarında duruyorlardı. Müfettiş sabırla dinledi, o sırada asistanı da not alıyordu. Bazen çok şaşırmış göründü ama genellikle ara ara başını sallayarak onayladı.

Fakat bir noktada kaşlarını çattı. Vaha kısmına geldikleri zamandı. Müfettiş, adamlarından birine birkaç cümle söyledi. O da aceleyle kulübeden dışarıya çıktı. Bir dakika sonra geri döndü, elinde bir harita vardı. Haritayı masanın üstüne serdiler.

Beck ve Peter ilgiyle haritaya baktılar. Haritada gösterilen bütün alanı yürüyerek geçmişlerdi. Müfettiş tam olarak kurumuş nehrin nerede olduğunu gösterdi ve geçmiş oldukları tuz havzasını da. Haritada başka da bir şey yoktu.

"Fakat baksanıza," müfettiş haritanın üstünde elini gezdirdi "hiç vaha işareti yok. Buradan üç yüz kilometre güneye kadar hiç açık su alanı yok."

Beck kaşlarını çattı ve daha yakından baktı. "Olmalı. Buralarda olmalı... burada... yok yok, burada..."

Fakat müfettişin katı bir mizacı vardı. Haritaya göre bulundukları yere yakın, vahaya benzeyecek hiçbir şey yoktu.

"Suyu nereden bulduğunuzu biliyoruz." Tahiyah, sakin bir ses tonuyla, beklenmedik bir anda konuştu. "Haritada bulamazsınız."

"Ne demek istiyorsun?" diye sordu Peter.

"Bu... özel su. Eğer siz... ah..." sınırlı İngilizcesiyle hayal kırıklığı içinde kaşlarını çattı ve Al'a dönerek bir şeyler söyledi.

Gülümsedi ve başını salladı. "Efsane. Vahanın, ihtiyacı olanlara göründüğü bir tür efsane," dedi. "Sadece kalbi temiz olan insanlara görünür. Burada ikinizi tarif ettiğini söylemek isterim."

Beck ve Peter birbirlerine baktılar, ne diyeceklerini şaşırmışlardı.

Müfettiş küçümseyici bir el hareketi yaptı. "Bir efsane mi? Eski efsanelere artık inanan kaldı mı?"

Al ona doğru boş bir bakış attı. "Çölde yardıma muhtaç kaybolan sen değildin."

Sonrasında, köye dolaşmak için çıktıkları zaman Peter'ın düşünceli bir hâli vardı. "Harita yapanların bilmedikleri bir vaha olabilir," dedi.

"Olabilir."

Fakat Beck tekrar düşündü. Ettiği dualar aklına geldi ve Bayan Chalobah'ın kaçakçıları tanımlarken söylediği sözler. Onlar Afrika'yı utandırıyorlardı. Afrika'nın bununla mücadele etmesi çok mu zordu? Kendi kaynaklarını geri kazanamazlar mıydı?

"Başka bir araba daha geliyor." Peter işaret etti. Köyün yolunu tutan başka bir aracın çıkarttığı toz bulutu görünüyordu sadece.

Beş dakika sonra Beck'in toz bulutunun içinden çıkan aracı ve içindekileri görebiliyordu. Aracın tepesindeki karışıklık, ilk bakışta binaların çatısındaki karışıklığı andırıyordu.

"Ah, hayır..." diye homurdandı. Çatıdaki karışıklık, tam olarak, anten ve uydu çanaklarından oluşan bir koleksiyondu.

Basın onları burada bile yakalamıştı. Çocuklar ayakta dikilerek arabanın ana kulübeye doğru yaklaşmasını izlediler.

"Pekâlâ, hem senin için de iyi bir deneyim olur. Gazeteci olmak istiyordun ya." Beck Peter'a sataşıyordu.

Peter kaşlarını çattı. "Sanmam. Heyecana doydum. Belki hobi olarak fotoğrafçılığa devam edebilirim..."

Beck gülümsedi. "Peki bunun yerine ne yapmak isterdin?" diye sordu.

"Bilmem. Muhasebeci olabilirim. En azından daha az tehlikeli. Akrepleri takip etmektense, sayıları takip ederdim."

"Eh, en azından beraber bir maceramız oldu Pete," dedi Beck, yüzünde buruk bir gülümseme vardı.

"Baksana Beck. Sen dünyada birlikte tatile gidilebilecek en tehlikeli insansın!"

İkisi de kahkaha attı ve elleri ceplerinde basın arabasının bulunduğu yere doğru yavaş yavaş ilerlediler. O sırada Al Amca, soru yağmurunun altında, dik başlı yeğeni Beck Grenger ve arkadaşının, elmas kaçakçılığıyla başlayıp çölü geçerek bitirdikleri hikâyelerini anlatıyordu.